PHŒNIX
DÉTECTIVE DU TEMPS

De la même auteure

Jeunesse

- *Celtina, La Lance de Lug*, Les Intouchables, Montréal, 2007.
- *Celtina, La Terre des Promesses*, Les Intouchables, Montréal, 2006.
- *Celtina, Les Treize Trésors de Celtie*, Les Intouchables, Montréal, 2006.
- *Celtina, L'Épée de Nuada*, Les Intouchables, Montréal, 2006.
- *Le concours Top-model*, coll. Intime, Éditions du Trécarré, Montréal, 2005.
- *La Falaise aux trésors*, coll. Aventures et Compagnie, Éditions SMBi, Montréal, 1997.
- *Une étrange disparition*, coll. Aventures et Compagnie, Éditions SMBi, Montréal, 1997.
- *L'Amour à mort*, coll. SOS, Éditions SMBi, Montréal, 1996.
- *Miss Catastrophe*, Éditions du Raton-Laveur, Montréal, 1993.

Adultes

- *Verglas* (avec Normand Lester), Éditions Libre Expression, Montréal, 2006.
- *Quand je serai grand, je serai guéri!* (avec Pierre Bruneau), Éditions Publistar, Montréal, 2005.
- *Chimères* (avec Normand Lester), Éditions Libre Expression, Montréal, 2002.

Corinne De Vailly

PHŒNIX
DÉTECTIVE DU TEMPS

Les Pièces d'or de Nicolas Flamel

Trécarré
JEUNESSE

Catalogage avant publication de Bibliothèque et Archives nationales du Québec et Bibliothèque et Archives Canada

Vailly, Corinne de

    Les pièces d'or de Nicolas Flamel

    Pour les jeunes.

    ISBN 978-2-89568-347-6

    I. Titre.

PS8593.A526P53 2007   jC843'.54   C2007-940679-3
PS9593.A526P53 2007

L'auteure tient à préciser que ce roman est une fiction faisant appel à des faits historiques romancés. Il ne s'agit en aucun cas d'un manuel d'histoire.

Remerciements

Les Éditions du Trécarré reconnaissent l'aide financière du gouvernement du Canada par l'entremise du Programme d'aide au développement de l'industrie de l'édition (PADIÉ) pour ses activités d'édition. Nous remercions le Conseil des Arts du Canada et la Société de développement des entreprises culturelles du Québec (SODEC) du soutien accordé à notre programme de publication. Gouvernement du Québec – Programme de crédit d'impôt pour l'édition de livres – gestion SODEC.

Couverture :
    Chantal Boyer

Illustration de la couverture :
    Olivier Nicolas

Mise en pages :
    Luc Jacques

© 2007, Éditions du Trécarré

ISBN : 978-2-89568-347-6

Dépôt légal – Bibliothèque et Archives nationales du Québec et Bibliothèque et Archives Canada, 2007

Imprimé au Canada

Éditions du Trécarré
Groupe Librex
La Tourelle
1055, boul. René-Lévesque Est
Bureau 800
Montréal (Québec) H2L 4S5
Tél. : 514 849-5259
Téléc. : 514 849-1388

Distribution au Canada
Messageries ADP
2315, rue de la Province
Longueuil (Québec) J4G 1G4
Téléphone : 450 640-1234
Sans frais : 1 800 771-3022

CE QU'IL FAUT SAVOIR

SENR : Service des enquêtes non résolues

Branche occulte du BIRI – Bureau international de recherche et d'investigation – mise sur pied dans le but de résoudre des énigmes historiques en lien plus ou moins direct avec l'époque contemporaine. Les agents appartenant au SENR sont spécialement formés pour effectuer ce type d'enquêtes, qui impliquent entre autres choses de voyager dans le temps. L'un des principaux agents du SENR se nomme Phoenix. Ce nom de code lui permet de garder l'anonymat, afin de protéger sa vie privée. L'agence a développé une technologie fort avancée pour permettre à ses agents de se déplacer matériellement dans les différentes strates de l'espace-temps, sans toutefois porter atteinte à l'époque dans laquelle ils sont envoyés en mission. En effet, le rôle de ses agents n'est pas de modifier l'histoire, mais bien d'en comprendre les mystères, qui sont devenus avec le temps de véritables énigmes.

Politeia

Nom de code de l'ordinateur de l'agent Phoenix. Cet ordinateur personnalisé met à la disposition du détective une technologie avancée, notamment de nombreux programmes conçus pour répondre aux questions et problèmes souvent rencontrés en cours d'enquête. L'ordinateur se présente sous différents aspects selon les agents. Celui de Phoenix est comprimé dans un modeste médaillon, qui ressemble, à première vue, à un simple coquillage retenu par un cordon de cuir. Politeia permet de faire des analyses d'ADN, de relever des empreintes, d'utiliser un détecteur thermique, de sonder différentes matières, etc. Cet ordinateur comprend également un photospectre servant à effectuer des analyses spectrographiques, un détecteur de mouvements, un polygraphe, un sonotone qui amplifie les sons et plusieurs autres accessoires. Il donne également accès à une banque de données continuellement mise à jour sur différents sujets historiques. Politeia apparaît à Phoenix sous la forme d'un hologramme, qu'il active par la voix, et lui donne accès à des circuits auxiliaires.

CHAPITRE 1

New York, fin du XXIᵉ siècle

— C ent mille bancors, une fois! Cent mille bancors, deux fois! Cent mille bancors, trois fois!

Le marteau tomba sur l'antique pupitre de bois de l'encanteur. Au moment même où le mot *adjugé* retentit dans ses oreilles, Phoenix enleva ses lunettes de vision virtuelle et cligna des yeux.

Depuis près d'une heure, le jeune détective assistait à une importante vente aux enchères. Ce genre d'événement se déroulait tous les trois mois chez Christie's et attirait toujours de nombreux amateurs d'art comme lui, ainsi que de richissimes collectionneurs… «Ce que je ne suis pas», songea-t-il en soupirant.

Il avait vu passer de fabuleux trésors sur lesquels il aurait aimé mettre la main : des tableaux de maître, des amphores grecques, des torques* d'or celtes, des statues africaines, des masques polynésiens… Il n'avait pas les moyens de s'offrir ces merveilles, mais le simple plaisir de les admirer

---

* Voir lexique en fin de volume.

valait à ses yeux les quelques heures qu'il consacrait parfois à ces ventes virtuelles, auxquelles il assistait, confortablement installé dans son fauteuil préféré, dans la quiétude de son loft, grâce à ses lunettes de vision virtuelle branchées en direct sur la salle des ventes.

Le dernier lot proposé à la vente était constitué de six écus d'or datés du xive siècle, plus précisément de l'année 1393. Ces pièces présentaient à l'avers* l'écusson de France timbré d'un heaume couronné et la légende : KAROLVS DI GRACIA FRANCORVM REX (Charles, roi des Francs par la grâce de Dieu). Sur le revers, on voyait clairement une croix fleurdelisée et feuillue, une rose à cinq pétales dans un losange aux lignes incurvées, le tout dans un quadrilobe* autour duquel figuraient quatre petites couronnes. On y trouvait aussi la légende : XPC VINCIT XPC REGNAT XPC INPERAT (Le Christ vainc, le Christ règne, le Christ commande). Une fois de plus, Phoenix soupira. L'enchère avait été remportée par un acheteur anonyme, comme c'était devenu la norme lors de ces ventes sans public en chair et en os.

Phoenix soupira une fois encore en refermant un vieil album de pièces de monnaie en cuir patiné dont de nombreux emplacements demeuraient vides… « Ce n'est pas encore aujourd'hui que je vais le remplir ! » regretta-t-il.

* * *

Quelques semaines plus tard

— Mon grand-père a été victime d'une arnaque, soupira Faustine, en reposant sa tasse de café devant elle.

— Que s'est-il passé ? s'inquiéta Phoenix.

Le vieil homme lui était sympathique, et le jeune détective le considérait presque comme son propre aïeul.

— Il a acheté une collection de pièces de monnaie lors de la dernière vente chez Christie's... et il s'est aperçu par la suite que les écus étaient probablement des faux, habilement réalisés certes, mais sûrement contrefaits. D'après lui, ils ont été coulés et non pas gravés.

— Hum, tu as raison ! enchaîna Phoenix, le souffle court. Couler les pièces n'était vraiment pas commun à l'époque. A-t-il d'autres indices qui lui permettent de douter de l'authenticité des pièces ?

Il était éberlué d'apprendre que le grand-père de son amie était assez fortuné pour enchérir dans la célèbre maison d'encan, et surtout qu'il avait acquis les pièces que lui-même convoitait, mais il ne fit aucun commentaire sur ce sujet.

— Lorsqu'il a eu les six écus d'or entre les mains, il a fait analyser la composition des pièces, et figure-toi que l'or n'est pas pur, mais mélangé avec du métal de mauvaise qualité. En plus, il n'a trouvé nulle part les points secrets qui étaient obligatoires à la fin du XIVe siècle pour identifier les lieux d'émission.

— Peut-être que ces pièces ont été réalisées avant que le point ne soit obligatoire, hasarda Phoenix.

— Mon grand-père est un collectionneur avisé. Il s'était renseigné. Ces pièces ont été émises en 1393, c'était la quatrième émission de ces écus d'or sous le règne de Charles VI. Et c'est à partir de l'émission de 1389 que les points sont devenus obligatoires, insista Faustine. Les pièces devraient donc les porter.

Phoenix ne répliqua rien. En tant qu'amateur lui-même, il savait qu'elle avait raison. Il avait lu assez de livres sur le sujet pour savoir qu'un véritable connaisseur ne se tromperait pas sur cette question.

— Et crois-moi, il a bien cherché, continua Faustine. Il aurait dû trouver un point sous la quatrième lettre, au droit, c'est-à-dire sous le O de KAROLVS, et au revers, sous le V de VINCIT. Mais rien de rien !

— Va-t-il demander un remboursement à Christie's ? s'enquit Phoenix, en avalant une gorgée de café.

— Peut-être… Mais un autre fait l'intrigue. Dans l'écrin qui contenait les pièces, il a trouvé une note qui indiquait leur provenance… et tu ne devineras jamais !

Phoenix fit une moue. Il attendait la suite.

— Eh bien… on les a trouvées à Paris, dans une maison en rénovation du quartier du Marais…

— Ce n'est pas étrange, il existe quelques maisons qui datent du Moyen Âge à Paris, fit Phoenix.

— Tu as raison, mais celle-là est très spéciale. Elle est sise au 51, rue de Montmorency, c'est la plus ancienne demeure de Paris…

— Cette adresse me dit quelque chose, l'interrompit Phoenix, en fronçant très fort les sourcils, cherchant visiblement à faire remonter une information à sa mémoire.

— Ça, pour être connue, elle est archiconnue ! C'était une demeure qui appartenait à Nicolas Flamel, l'alchimiste…

Cette fois, Phoenix s'étouffa en expulsant une gorgée de café par les narines.

Faustine éclata de rire et lui tendit un mouchoir de papier.

— Peste ! Nicolas Flamel ?…

— Oui. C'est pour ça que mon grand-père a demandé l'aide du SENR. Il espère qu'un détective du Temps pourra se rendre là-bas à cette époque pour en savoir plus.

Phoenix avala sa salive, mais n'ajouta pas un mot à propos du SENR. Faustine ignorait qu'il travaillait pour cette organisation assez discrète, même si elle n'était pas secrète.

Ils terminèrent leur café en discutant à bâtons rompus de la Ville Lumière, qu'ils avaient tous deux eu la chance de visiter. Elle, récemment, en voyage virtuel, et lui de nombreuses fois et à différentes époques de l'Histoire, mais ça, il ne le lui mentionna pas.

Après le départ de Faustine, Phoenix se précipita sur son médaillon, qu'il avait enfilé autour du cou d'un des deux petits sphinx de marbre qui faisaient office d'appui-livres sur son bureau.

— Entrée en fonction, Politeia! lança-t-il.

L'hologramme apparut aussitôt.

— Aucun message. Aucune mission, annonça son informatrice préférée, qui ressemblait trait pour trait à Faustine, mais cette fois Phoenix ne s'en émut pas.

— Politeia, transmission pour le SENR. L'agent Phoenix se porte volontaire pour Mission Flamel à Paris. Tu cryptes et tu expédies tout de suite. Code URGENT!

Puis le jeune détective se mit à faire les cent pas dans son loft. Il espérait que personne n'avait déjà été désigné pour cette mission. Elle lui tenait à cœur. Pour une fois que son appartenance au SENR pouvait lui fournir l'occasion de donner un petit coup de pouce à Faustine... Enfin, à son grand-père, en l'occurrence, il ne voulait pas la laisser passer.

Pour tromper l'attente et pour réduire son anxiété, il se plongea dans ses livres, à la recherche d'informations sur Nicolas Flamel.

Les différentes sources qu'il consulta ne concordaient pas sur l'année de naissance du célèbre écrivain-alchimiste. « Peste ! Voilà qui commence bien ! » songea le jeune homme, en tournant les pages d'une vieille encyclopédie aux feuillets jaunis. Un héritage familial, comme beaucoup d'autres objets qui constituaient son décor.

« Bon alors, certains livres donnent l'année 1330, d'autres 1340, à Pontoise, actuellement au sein du Grand Paris. Je verrai bien quand je le rencontrerai ! » Phoenix poursuivit sa lecture. Flamel était devenu écrivain public. Son travail consistait à copier des livres, car à l'époque l'imprimerie n'existait pas encore, et d'en vendre, ainsi que d'enluminer des manuscrits. Mais un jour, en rêve, un ange lui avait montré un livre merveilleux recouvert d'une couverture de cuivre. L'ange lui avait dit « qu'il y verrait ce qu'il devait voir et y saurait ce que nul ne sait », puis l'ange et le livre avaient disparu. Plusieurs années plus tard, un homme s'était présenté à l'échoppe de Flamel. Il faisait froid et l'homme était fatigué. Flamel l'avait invité à entrer se reposer dans la librairie. Alors, après avoir échangé quelques mots malhabiles avec son hôte, car l'étranger parlait mal le français, l'homme ouvrit son sac et en sortit un livre relié de cuivre doré. Il le présenta à Flamel qui reconnut le livre que l'ange lui avait montré dans son rêve. Le livre comprenait de nombreuses figures étranges et des phrases incompréhensibles, mais aussi des malédictions effroyables…

Soudain, l'holo-imprimante de Phoenix s'anima. Amon, qui sommeillait tout près, miaula de surprise, puis feula en direction de la machine, mécontent d'être tiré aussi brutalement de ses rêves de félin. Une douzaine de transparents jaillirent de l'appareil dernier cri. Le jeune détective s'empara des pages, et rapidement un grand sourire éclaira son visage. C'était son ordre de mission, accompagné des informations nécessaires à la bonne compréhension des principaux acteurs qu'il croiserait au fil de son enquête et du contexte de l'époque.

SERVICE DES ENQUÊTES NON RÉSOLUES

NICOLAS FLAMEL

ÉCRIVAIN PUBLIC, COPISTE ET LIBRAIRE, NÉ ENTRE 1330 ET 1340 À PONTOISE. LA DATE EXACTE N'A JAMAIS PU ÊTRE DÉTERMINÉE, MAIS LES CHERCHEURS PENCHENT PLUTÔT POUR 1340. ON LE DIT ADEPTE DE SCIENCES HERMÉTIQUES ET D'ALCHIMIE. IL ÉTUDIE LE LATIN ET LE FRANÇAIS CHEZ LES BÉNÉDICTINS. FLAMEL COMMENCE SA CARRIÈRE CHEZ MAÎTRE GOBERT, AVANT D'ACHETER SA PROPRE ÉCHOPPE : *À LA FLEUR DE LYS*.

EN 1357, IL ACHÈTE À UN INCONNU UN VIEUX MANUSCRIT QUE L'ON APPELLE *LE LIVRE D'ABRAHAM LE JUIF*. CET OUVRAGE EST RÉPUTÉ LUI AVOIR RÉVÉLÉ LE FABULEUX SECRET DE LA PIERRE PHILOSOPHALE* CENSÉE TRANSFORMER LE PLOMB EN OR. IL ÉPOUSE DAME PERNELLE, PROBABLEMENT EN 1370.

DEVENU RICHE, VERS 1382, FLAMEL CONSACRE UNE PARTIE DE SA FORTUNE À DIVERSES ŒUVRES DE CHARITÉ. ENTRE AUTRES, IL FAIT CONSTRUIRE DES HÔPITAUX, DES HOSPICES ET DES REFUGES POUR LES PAUVRES ET LES ORPHELINS, ET AMÉNAGER DES CIMETIÈRES. LA MAISON

DU 51, RUE DE MONTMORENCY (À L'ÉPOQUE RUE COUR AU VILLAIN), OÙ LES PIÈCES ONT ÉTÉ RETROUVÉES, EST ÉDIFIÉE EN 1407.

À SA MORT, SURVENUE LE 22 MARS 1418, NICOLAS FLAMEL EST INHUMÉ DANS L'ÉGLISE SAINT-JACQUES-LA-BOUCHERIE. CETTE ÉGLISE A ÉTÉ DÉTRUITE ET PILLÉE À LA RÉVOLUTION FRANÇAISE. LA PIERRE TOMBALE DE NICOLAS FLAMEL EST DÉSORMAIS EXPOSÉE AU MUSÉE NATIONAL DU MOYEN ÂGE (MUSÉE CLUNY) DE PARIS.

PERNELLE FLAMEL

MARIÉE AVEC NICOLAS FLAMEL (PROBABLEMENT EN 1370), ELLE EST DÉJÀ DEUX FOIS VEUVE ET PLUS ÂGÉE QUE LUI. SON PREMIER MARI AVAIT POUR NOM JEHAN HANINGUES ET LE SECOND FUT RAOUL LETHAS. ELLE MEURT EN 1397, VINGT ET UN ANS AVANT SON MARI. LEUR VIE COMMUNE A DONC DURÉ VINGT-SEPT ANS. ELLE A UNE SŒUR, PRÉNOMMÉE ISABELLE, MARIÉE À UN CERTAIN JEHAN PERRIER, TAVERNIER. PERNELLE A TROIS NEVEUX : GUILLAUME, OUDIN ET COLLIN. LES DEUX SŒURS NE S'ENTENDENT PAS TRÈS BIEN, L'ARGENT DE NICOLAS FLAMEL SEMBLANT ÊTRE LA CAUSE DU CONFLIT. ISABELLE TENTE À PLUSIEURS REPRISES DE FAIRE MODIFIER LES DONATIONS PAR TESTAMENT DE PERNELLE À NICOLAS, ET VICE VERSA, EN FAVEUR DE SES FILS.

CHARLES VI DE FRANCE

SURNOMMÉ LE FOL, CHARLES VI EST NÉ EN 1368. IL ACCÈDE AU TRÔNE DE FRANCE À L'ÂGE DE DOUZE ANS. CE SONT SES ONCLES, LES DUCS DE BOURBON, D'ANJOU, DE BERRY ET DE BOURGOGNE, QUI SONT CHARGÉS DE LA RÉGENCE JUSQU'À SA MAJORITÉ. IL ASSURE SEUL LE POUVOIR À PARTIR DE 1388. PRIS D'UN ACCÈS DE FOLIE EN 1392, IL TUE QUATRE DE SES PROPRES HOMMES À COUPS DE HACHE

EN CROYANT ÊTRE VICTIME D'UNE EMBUSCADE. PUIS, EN 1393, LORS D'UN BAL, SON FRÈRE, LOUIS IER D'ORLÉANS, MET ACCIDENTELLEMENT LE FEU À DES DANSEURS VÊTUS DE COSTUMES DE PLUMES. PARMI CEUX-CI, CHARLES VI, QUI ÉCHAPPE DE PEU À LA MORT. CET INCIDENT FAIT DE NOUVEAU VACILLER SA RAISON. MARIÉ À ISABEAU DE BAVIÈRE, IL A DOUZE ENFANTS LÉGITIMES ET UNE FILLE ILLÉGITIME. CINQ DE SES SIX GARÇONS MEURENT AVANT LEUR MAJORITÉ, MAIS L'AVANT-DERNIER, LE FUTUR CHARLES VII, SURVIT. JUSQU'À SA MORT EN 1422, CHARLES VI VIT EN ALTERNANCE DES PHASES DE DÉMENCE ET DE LUCIDITÉ.

JEAN DE FRANCE, DUC DE BERRY

LE DUC DE BERRY EST FILS DE ROI (TROISIÈME FILS DE JEAN II LE BON), FRÈRE DE ROI (CHARLES V) ET ONCLE DE ROI (CHARLES VI). DÈS SON PLUS JEUNE ÂGE, IL DÉMONTRE UN GOÛT CERTAIN POUR LE LUXE ET LES BELLES CHOSES. PASSIONNÉ D'ARCHITECTURE, IL FAIT CONSTRUIRE OU RÉNOVER DE SUPERBES RÉSIDENCES. C'EST UN GRAND AMATEUR DE LIVRES ET PROTECTEUR DES ARTISTES, COMME LE PROUVENT *LES TRÈS RICHES HEURES DU DUC DE BERRY*, UN MAGNIFIQUE OUVRAGE D'ENLUMINURES. SA BIBLIOTHÈQUE EST L'UNE DES PLUS BELLES DE FRANCE, D'OÙ SON SURNOM DE PRINCE DES BIBLIOPHILES FRANÇAIS.

CONTEXTE DE L'ÉPOQUE

PENDANT LA RÉGENCE QU'ILS EXERCENT AVANT LA MAJORITÉ DE CHARLES VI, SES QUATRE ONCLES, NE SERVANT QUE LEUR INTÉRÊT PERSONNEL, DILAPIDENT LE TRÉSOR ; ILS RÉTABLISSENT LES IMPÔTS TOUT EN AUGMENTANT LE TAUX D'IMPOSITION, CE QUI A POUR CONSÉQUENCE DE DÉCLENCHER DE NOMBREUSES RÉVOLTES.

Après sa prise de pouvoir, en 1388, Charles VI tente de modérer la fiscalité sans pour autant abolir les impôts, puisque les coffres du royaume sont à peu près vides. Sous son règne, environ vingt ateliers frappent la monnaie royale dans différentes villes du royaume, notamment à Paris (livre parisi) et à Tours (livre tournoi).

Malheureusement, la folie du roi n'arrange rien aux affaires du royaume, et ses oncles se disputent de nouveau le pouvoir à partir de 1394.

En 1394 toujours, Charles VI ordonne l'expulsion des Juifs du royaume – pour la troisième fois en moins d'un siècle. Les Juifs sont bannis pour des questions religieuses. À cette époque, ils ne peuvent appartenir à aucune corporation et ne peuvent accéder à la propriété foncière. Ils exercent souvent le métier de prêteurs sur gage.

— Peste ! s'exclama Phoenix après avoir parcouru ces notes succinctes. Les finances sont vraiment au cœur de cette histoire. Les questions d'argent sont souvent les plus compliquées à régler, et cela peut parfois même se révéler dangereux. Certains seraient prêts à tuer père et mère pour un peu d'or. J'ai bien hâte de découvrir le rôle que le SENR a décidé de me faire jouer. J'espère que je ne serai ni percepteur d'impôts ni ministre des Finances…

Il examina un autre transparent et soupira d'aise en découvrant les principales caractéristiques du personnage qu'il allait devoir incarner en l'an 1393, pendant le règne du roi Charles VI, tour à tour surnommé le Fol ou le Bien-Aimé.

Le grand-père de Faustine avait demandé au SENR de déterminer avant tout comment ces fausses pièces, que l'on appelait des « faux pour servir » (ou faux d'époque), avaient été réalisées, par qui et dans quel but. Étaient-elles le fruit de manipulations alchimiques attribuables à Nicolas Flamel ou d'habiles contrefaçons réalisées par des faux-monnayeurs du XIVe siècle ?

CHAPITRE 2

Paris, 20 janvier 1393

Phoenix était planté au milieu de l'étroite et sombre rue de Marivas, à quelques pas de la petite échoppe *À La Fleur de Lys*, sise à l'angle de la rue des Escrivains. Il était à peu près dix-sept heures, le soleil venait de se coucher, et le crieur de nuit arpentait déjà le quartier pour proclamer le couvre-feu.

Nicolas Flamel sortit de sa minuscule boutique, rabattit le volet de bois et y installa la lourde barre de fer et la chaîne qui en condamnaient l'accès. Il agissait avec précision et rapidité, bien que le froid raidît ses doigts déjà gourds d'avoir manié la plume pendant plus de douze heures d'affilée pour satisfaire la commande d'un de ses principaux clients.

L'écrivain s'apprêtait à traverser la venelle qui le séparait de sa maison lorsqu'il aperçut, tout au bout, une silhouette informe appuyée sur un bâton. Il frissonna. Une faible neige tombait sur la ville et, à travers les flocons, il ne distinguait pas le visage du personnage emmitouflé qui semblait l'observer.

Les mauvais garçons allaient bientôt s'emparer du pavé de Paris. Il n'était pas prudent de rester dehors après le couvre-feu. «Ce doit être l'homme de guet», songea-t-il, sans doute pour se rassurer, en se hâtant néanmoins vers sa demeure.

La cloche de l'église Saint-Jacques-la-Boucherie retentit. Flamel se dépêcha. Il avait hâte de retrouver sa femme, Pernelle. Justement, elle était en train de tirer les volets sur les fenêtres recouvertes de panneaux de lin huilé. Il poussa la porte de sa maison, et une réconfortante bouffée d'air chaud lui sauta au visage. En se retournant une dernière fois pour examiner la rue, il constata que la silhouette sombre s'était considérablement rapprochée, elle était tout juste derrière lui, presque arrivée à sa porte.

À la lumière qui filtrait des bougies installées sur sa table de bois, il distingua enfin un homme jeune, bien vêtu et qui lui sembla plus perdu que menaçant. Phoenix avait en effet fière allure avec son bliaut* bleu charron boutonné dans le dos, ses collants très moulants, d'une couleur hésitant entre le beige et le kaki, ses bottillons noirs et son épais manteau de laine sombre retenu sur l'épaule par une conque*. À sa ceinture de cuir pendait une petite sacoche de toile. Son chapeau rouge porté en turban laissait échapper la fameuse mèche blanche qu'il ne parvenait jamais à dompter. Un bissac* était attaché à son bâton de pèlerin. L'illusion était parfaite. Comme toujours, le SENR avait veillé au moindre détail pour lui confectionner un costume parfaitement conforme à ses fonctions et à l'époque.

— Ah! s'exclama Flamel, en découvrant finalement le coquillage sur la coiffe de Phoenix. Un pèlerin de Compostelle. Vite, mon ami, ne restez pas dehors… Entrez, entrez!

— Je ne veux pas vous… commença Phoenix, aussitôt interrompu par Pernelle.

— Vite, fermons l'huis* et couvrons l'âtre! Si le guet venait à passer, nous serions mis à l'amende.

La maîtresse de maison s'empressa de mettre un couvercle au-dessus du foyer de la pièce centrale, tel que l'exigeait la loi pour éviter tout risque de feu pendant la nuit. En effet, le but du couvre-feu n'était pas de faire éteindre toutes les lumières, mais plutôt d'imposer les précautions nécessaires pour éviter les incendies.

— Le repas est prêt, mon époux, continua-t-elle en installant une grosse assiette fumante devant Flamel qui prenait place à table, assis sur un banc de bois.

Puis elle remplit une autre écuelle de terre cuite et invita Phoenix à s'asseoir à son tour.

Estomaqué par cet accueil chaleureux et n'ayant encore pu placer une seule parole, le jeune détective examina ses hôtes à la dérobée, tout en plongeant sa cuiller dans un épais ragoût dégageant de fortes odeurs d'épices, mais somme toute assez fade, car dépourvu de sel, qui avait à cette époque la réputation d'endommager la vue.

Flamel était petit et trapu. Deux yeux vifs émergeaient au-dessus d'une sombre barbe qui lui mangeait presque tout le visage. «Malgré son âge, il a l'air en très bonne forme, songea l'enquêteur. Pas de fils blancs dans sa chevelure ni dans sa barbe. Impossible de lui donner un âge précis. » Chez Pernelle, le détective remarqua surtout ses grands yeux bleus, profonds et un brin soupçonneux.

Puis, regardant autour de lui, il s'attarda sur l'apparence modeste de la demeure, dont l'extérieur était pourtant habilement décoré de gravures et d'inscriptions étranges. Cette première impression confirmait tout ce que Phoenix avait appris dans ses livres sur le couple Flamel. Malgré leurs nombreuses possessions foncières et leurs dons récents et fort importants à des églises, à des hôpitaux et à des orphelinats, Pernelle et Nicolas continuaient à avoir des goûts simples.

Leurs vêtements étaient taillés dans du bon drap, solide mais sans fioriture. Ils étaient soigneux et leurs tenues devaient durer longtemps. Bien sûr, les manches et le fond des chausses de Flamel luisaient d'usure ; ils s'étaient élimés parce qu'il demeurait assis de longues heures, les coudes sur la table, penché sur son travail. Mais, Phoenix pouvait s'en rendre compte, le couple vivait chichement, mangeait peu, économisait ses chandelles. Bref, rien chez lui ne donnait l'impression d'une quelconque sorte de richesse.

L'une des seules joies du copiste était de tracer sur le vélin* des lettres majuscules de son calame* chargé d'encre ou de dessiner avec application et pieusement les enluminures qu'il chargeait d'ors, de pourpre, peignant avec une grande concentration des tours, des figures, des oiseaux, des fleurs et des feuilles, des jambages compliqués. Nicolas Flamel adorait son métier, et cela se voyait sur tous les travaux que les riches et les puissants lui confiaient.

— Eh bien, mon ami, d'où venez-vous comme ça ? demanda enfin Flamel en croquant dans un large morceau de pain bis*.

La lumière de la lanterne posée devant lui faisait danser des lueurs à la fois étonnées et malicieuses dans ses yeux noirs.

— Je suis de retour de Compostelle comme vous l'avez deviné, maître Flamel, improvisa Phoenix, en désignant la coquille de son chapeau qui reposait maintenant sur son manteau, étendu sur le banc à côté de lui.

— Oui, compagnon. Je sais, je sais… grommela Flamel, la bouche pleine, mais encore?

— J'avais fait vœu de faire le pèlerinage, car mon père a côtoyé les six lépreux, hasarda le jeune enquêteur en tentant le tout pour le tout.

La cuiller de Flamel resta à mi-chemin de sa bouche, restée grande ouverte sur une exclamation de surprise.

— Les six lépreux… balbutia-t-il enfin.

— Et je venais vous demander du travail… renchérit Phoenix, sachant que Flamel avait mordu à son hameçon.

— À cette heure! s'étonna Pernelle, soudain plus soupçonneuse.

Malgré sa défiance, Dame Flamel avait un visage agréable et franc, et elle ne paraissait pas du tout ses soixante ans passés, un âge presque vénérable à cette époque de vie dure et de privations.

Phoenix nota que c'était une belle femme, à la taille fine et à la figure de madone, qui s'éclairait d'un sourire éclatant quand elle regardait son mari. « Elle a dû faire chavirer bien des cœurs dans sa jeunesse, et même maintenant, car elle ne fait vraiment pas son âge. Et quelles dents! Je croyais que tout le monde avait des chicots gâtés en bouche… » se surprit-il à penser. Malgré tous ses atours physiques, Pernelle avait un seul point faible selon son époux : elle était dotée d'un caractère volontaire et entêté.

— Je viens d'arriver à Paris et j'ai juste eu le temps de passer la porte Saint-Antoine…

25

— Vous avez eu de la chance de tomber tout de suite sur moi, vous auriez pu faire de mauvaises rencontres. À la nuit tombée, les rues de Paris sont de véritables coupe-gorges, le prévint Flamel. Il ne faut jamais se promener sans lanterne et sans escorte à cette heure.

— Oui, effectivement. J'ai eu beaucoup de chance! reconnut Phoenix. Mais je savais que je vous trouverais chez vous à cette heure…

Pernelle ne cessait de lui décocher des coups d'œil inquiets. Sa mèche blanche et ses yeux pervenche donnaient un air louche à cet étranger qui s'exprimait bien et avec facilité.

Il faut dire que Dame Flamel avait de multiples raisons de s'inquiéter. Depuis quelques années, des rumeurs couraient sur la subite richesse de son mari, et des escrocs en tout genre ne cessaient de tourner autour de son foyer, quand ce n'était pas des espions du roi ou de ses oncles. Elle trouvait son cher époux beaucoup trop amical avec tous ces gens qui le courtisaient avec tant d'empressement.

— Ainsi, vous voulez travailler avec moi? s'enquit Nicolas, sans s'apercevoir des œillades furieuses de sa femme.

— Oui, je viens de loin tout exprès, confirma Phoenix. Vous êtes le meilleur copiste et enlumineur sur la place de Paris, et je veux apprendre le métier à vos côtés.

— Hum! hésita le libraire.

— Je connais le latin, s'empressa d'ajouter Phoenix.

— Mais les lépreux… Vous avez côtoyé des lépreux! rouspéta Pernelle, effrayée, en se signant.

Nicolas Flamel, si mesuré d'habitude, éclata de rire. Il savait, lui, ce que Phoenix avait laissé sous-entendre. En alchimie, les lépreux avaient pour noms cuivre, plomb, fer, étain, argent et vif argent*, des métaux imparfaits qui pouvaient être transformés grâce à une science secrète.

Pernelle haussa les épaules. Décidément, son époux devenait fou.

— Il y a écrivain et écrivain, mon jeune ami, reprit Flamel. Recopier ou écrire des actes de tous les jours n'exige pas énormément de talent. Mais pour les travaux de luxe, pour les beaux manuscrits enluminés, il faut un doigté particulier. Avez-vous déjà orné des manuscrits d'images fines, avec des embellissements de fantaisie, des lettrines colorées et dorées?... C'est tout un art.

— Je suis venu pour apprendre, assura Phoenix. En commençant bien entendu par le commencement...

— Avez-vous les moyens de payer vos cours, jeune homme? l'apostropha Pernelle qui, décidément, ne se départait pas facilement de sa méfiance. Les leçons se paient fort chèrement...

Phoenix tapota sa sacoche de toile; elle contenait des sols et des deniers, des écus d'or, mais aussi des petits écus couronnés et des demi-écus heaumés, des francs d'or à pied, toutes les monnaies qui avaient cours cette année-là.

— Il vaut mieux que personne ne sache que vous transportez une telle fortune, le prévint Nicolas Flamel. Les temps ne sont pas sûrs, et de nos jours on se fait égorger pour moins que ça!

— Pour vous prouver ma confiance, je vous livre mon or, maître Flamel, vous saurez mieux que moi le mettre à l'abri dans cette ville que je connais peu... Je ne garderai qu'un peu d'argent pour mes dépenses courantes.

Phoenix ouvrit sa bourse, en retira une poignée d'argent puis, par-dessus la table, il tendit sa sacoche à son hôte, qui lui faisait face. Flamel referma la main sur le sac et allait se lever pour l'emmener en lieu sûr lorsque sa femme le retint.

— Tu le rangeras plus tard !

À ces mots, Phoenix comprit que Pernelle se méfiait encore. « Elle ne veut probablement pas que je voie où son mari dissimule son argent », songea Phoenix.

De toute façon, il ne craignait nullement de perdre sa fortune. Grâce au SENR, Phoenix pouvait être réapprovisionné sur demande, si le besoin s'en faisait sentir. Et puis Flamel était reconnu pour sa grande sagesse et sa probité : le voyageur du Temps n'avait aucune crainte, l'écrivain ne dilapiderait pas sa fortune.

— J'espère qu'il ne s'agit pas là de fausse monnaie, lança brusquement maître Flamel en soupesant la lourde besace avec un air méfiant.

— Vous savez ce que l'on fait aux faux-monnayeurs, renchérit Pernelle. On les fait bouillir au marché aux Pourceaux, dans une chaudière pleine d'huile !

— Pensez donc, faire de la fausse monnaie, c'est un grand crime, ma mie, un grand crime ! murmura Nicolas Flamel, en dévisageant Phoenix.

— Je vous rassure, mes amis, se crut obligé de dire le détective, car il craignait tout à coup que maître Flamel le mette à la porte pour fabrication de faux coins. Mon argent vient des ateliers du roi. Vous n'avez aucune crainte à avoir sur ce plan.

Les deux Flamel hochèrent la tête. Pernelle continuait à dévisager Phoenix avec suspicion, tandis que Nicolas était plus porté à la confiance.

Puis, le repas étant terminé, Flamel surprit Phoenix en entamant la prière qu'il récitait toujours avant d'éteindre les feux et de monter se coucher à l'étage. Avant de gagner sa couche, le bonhomme, prudent, vérifia une dernière fois que sa porte était bien fermée à triple tour en tournant la grosse clef dans la serrure. Il remua les barres de fer posées contre les fenêtres pour s'assurer qu'elles ne bougeraient pas.

Le jour, les rues de Paris résonnaient des cris des marchands, des rires des enfants, des appels des commères, mais la nuit c'était une autre histoire. L'oreille aux aguets, Flamel s'assura d'entendre aussi le pas lourd des hommes de guet, avant de tendre une chandelle à Phoenix et de lui indiquer l'escalier de bois craquant menant à l'étage, où il pourrait se reposer jusqu'au matin.

— Surtout, jeune homme, si vous entendez le bruit des épées de gens vidant une querelle ou les râles d'un blessé abandonné dans la rue, n'allez pas y voir ! Ne mettez jamais le nez dehors en pleine nuit... et surtout ne vous mêlez pas des affaires des coquins.

— Il y a plus terrible encore que les coupe-jarrets, ajouta Pernelle dans un souffle, en se signant à plusieurs reprises. Vous pourriez tomber sur le moine bourru...

— Le quoi ? s'exclama Phoenix.

Flamel lui fit signe de baisser le ton.

— Le moine bourru... Le diable en personne, vêtu de bourre et rôdant dans la nuit. Si vous tendez l'oreille, vous entendrez le bruit sec de ses pattes de bouc sur les pavés...

Phoenix sourit et lança :

— Eh oui, cher maître, le monde est rempli de choses étranges et mystérieuses...

Au Moyen Âge, c'est surtout la nuit que survenaient les miracles et les événements fantastiques incompréhensibles pour les hommes de l'époque, aux heures où les villes et les campagnes étaient livrées aux forces obscures et à des êtres malfaisants.

CHAPITRE 3

É chaudés*, pâtés chauds, oublies*!...
— Ce fut la voix du pâtissier, voisin de maître Flamel, qui réveilla Phoenix. À moins que ce ne soit les bonnes odeurs de pâte chaude qui montaient de son établissement!

La septième heure sonnait à l'horloge publique de la tour de guet de la Conciergerie, aussitôt relayée par la cloche de Notre-Dame, puis par celle de l'église Saint-Jacques-la-Boucherie. Les rues et les ruelles de Paris s'animaient. L'enquêteur entendit les marchands installer leurs denrées sur des tréteaux, les merciers racoler les ménagères qui faisaient leurs courses, en leur proposant soieries et dentelles. Partout les cris, les appels, les couplets des vendeurs s'entrecroisaient sous le ciel matinal de la capitale du royaume de France.

Phoenix sauta rapidement à bas de son lit et se précipita à la fenêtre. Il ouvrit ses volets et le spectacle de la rue le laissa sans voix. Ici, un estropié mendiait sa pitance sous les quolibets d'enfants délurés et bagarreurs. Là, un boucher débitait un veau en plein air sans trop se soucier des mouches qui tournaient autour. Plus loin, une femme criait après le vendeur d'oignons, l'accusant de tricher sur le poids de la marchandise en ayant mal calibré sa balance.

Puis le regard de Phoenix se porta de l'autre côté de la rue de Marivas. Par la porte grande ouverte, il aperçut son hôte, déjà penché sur un manuscrit, besicles sur le nez, concentré sur sa tâche. Même les bruits du quartier et la fraîcheur de la température ne semblaient pas distraire Nicolas Flamel.

Phoenix se précipita dans la rue, échangea un sol contre un échaudé brûlant au pâtissier et se rua dans l'échoppe à l'enseigne *À La Fleur de Lys* pour y suivre son premier cours de copiste. Il resta sur le seuil, sidéré par l'exiguïté des lieux. L'échoppe où Flamel passerait toute sa vie avait l'air d'un couloir de cinq pieds de long sur deux de large, tout au plus. Une seconde officine, accolée à la première, mais guère plus grande, était réservée à Dreue et Mahiet, les deux copistes que le maître employait à temps plein pour l'aider dans sa tâche.

Le soleil venait à peine de se lever. Personne ne faisait la grasse matinée à cette époque, le nombre d'heures de clarté restreint de l'hiver ne permettait pas de perdre son temps au lit.

Lorsqu'il se présenta à Nicolas Flamel, Phoenix constata qu'un jeune élève était déjà à l'œuvre dans l'étroit réduit. À sa mise, il comprit qu'il s'agissait d'un enfant de gens de la cour. En effet, beaucoup de nobles et de bien nantis avaient recours à maître Flamel pour enseigner la lecture et l'écriture, et nombre d'entre eux lui étaient redevables.

En se penchant par-dessus l'épaule de l'élève, Phoenix fut stupéfait de voir que le garçon, qui n'avait qu'une dizaine d'années, recopiait un livre de comptes d'une écriture déjà sûre et déliée.

— Assoyez-vous là, Phoenix, près de Robin! lança l'enlumineur en lui désignant, près d'une table légèrement inclinée, un tabouret de bois qui lui parut inconfortable et surtout bas sur pattes pour sa haute taille. Toutefois, ce siège avait l'avantage d'être situé dans le rayon de lumière qui filtrait timidement par la fenêtre dont le rideau de lin huilé avait été remonté, malgré la fraîcheur de l'hiver.

Le maître déposa devant lui une écritoire qui contenait des parchemins, des plumes d'oie, deux cornes d'encre noire, un rasoir pour gratter les erreurs et un canif pour tailler sa plume. Puis il lui tendit un magnifique livre d'heures* qui, lui dit-il, avait été réalisé pour une noble jeune femme appartenant aux proches de Jean de Berry, l'oncle du roi et l'un des clients les plus importants de *À La Fleur de Lys*. Le manuscrit constitué de vingt miniatures avait été composé par Flamel cinq ans auparavant. Phoenix le manipula avec précaution, abasourdi de tenir un document aussi précieux entre ses mains.

— Hier, vous avez dit que vous saviez écrire, jeune homme. Eh bien, voici le moment de prouver votre art. Ne recopiez que la première strophe de cette chanson, somme toute assez courte, comme vous pouvez le constater.

Phoenix se pencha sur son écritoire pour choisir une plume qui semblait bien taillée. Il en trempa la pointe dans l'encre noire et entreprit de tracer la première lettrine, un magnifique 𝕮 dans la plus pure tradition médiévale, de la première strophe qui se lisait comme suit :

𝕮hemisette avoit de lin et blanc peliçon hermin et bliaut de soie; chauces ot de glaiolai et souliers de flors de mai, estroitement chauçade[1].

---

1. Poème anonyme du XIIᵉ siècle.

Malheureusement, le voyageur du Temps était plus habitué à manipuler un crayon numérique qu'une penne*. Le résultat fut désastreux : il ne réussit à faire qu'un gros pâté noir sur le fin parchemin. Il sentit la honte lui monter aux joues. Robin s'esclaffa, mais son rire mourut dans sa gorge lorsque la main de maître Flamel lui chauffa les oreilles d'une vigoureuse tape derrière la tête.

Phoenix se mordit la lèvre et tenta une nouvelle fois de recopier la première lettre. Cette fois, ce fut un peu mieux, mais les traits étaient tremblotants car le détective n'était pas habitué à manier la plume dans les courants d'air. Il avait les doigts crispés par le froid. À la troisième lettre, la pointe de sa penne perça le papier.

— Robin, montre à Phoenix comment tenir correctement sa plume, lança Nicolas Flamel, désespéré par le manque de réussite de cet étranger qui connaissait quand même le latin, comme il s'en était assuré la veille.

Le jeune détective était gêné d'avoir à affronter le sourire ironique de l'enfant et les sarcasmes qu'il sentait naître sur le bout de sa langue. Mais après quelques minutes, il comprit finalement qu'il ne devait pas se servir d'une plume comme d'un vulgaire crayon. Il devait lui donner la bonne inclinaison, ne pas la faire tourner pour éviter de déchirer le parchemin, exercer la pression appropriée et avoir le mouvement plus souple.

Il plongea de nouveau sa pointe dans l'encre à base de vitriol*, de noix de galle* et de gomme, et s'appliqua à tracer ses lettres.

Il était en train d'essayer maladroitement de tailler sa plume qui s'usait très rapidement à cause de son manque d'expertise lorsque la pâle lumière du soleil d'hiver qui l'éclairait fut brusquement obscurcie par la silhouette d'un vieillard qui s'était encadré dans la porte qu'il n'avait pas entendu s'ouvrir.

— Ah, maître Anseaulme, entrez, entrez, cher ami! l'apostropha Flamel. Votre livre de médecine est prêt. Robin, mon jeune élève que voici, a dressé pour vous la liste de vos recommandations médicales…

Maître Anseaulme prit le livre et se mit à lire à voix haute.

« Pour arrêter un saignement de nez, laisser le sang couler au-dessus de deux brins de paille mis en croix. » Parfait! « Pour ne pas perdre ses cheveux, les laver avec des noix brûlées mêlées à du vin et de l'huile. » Bien, bien! « Ah, pour un mal de tête, enlever son bas-de-chausse gauche, le plier et le placer sous sa paillasse avant d'aller se coucher. » C'est ça!

Phoenix retint une exclamation, il n'en croyait pas ses oreilles. Qu'un médecin puisse croire à de telles inepties était inconcevable, même en plein Moyen Âge. Puis, le jeune détective intercepta le regard de maître Flamel. Ce dernier souriait dans sa barbe, visiblement lui non plus ne croyait pas à ces remèdes extraordinaires.

« J'espère que je n'aurai pas besoin de faire appel à la science de maître Anseaulme, songea Phoenix. Il risque plus de m'empoisonner qu'autre chose. »

— Quand êtes-vous né, jeune homme? lança abruptement le médecin à l'intention de Phoenix.

— Euh… ma mère m'a dit qu'il y avait de la neige, improvisa l'enquêteur sans trop se mouiller.

— Ah, mais ça! Il peut y avoir de la neige autant pour l'Annonciation que pour la Saint-Nicolas! s'emporta le vieil homme. Soyez plus précis. Quel est votre mets préféré?...

— Eh bien, je ne déteste pas le faisan, la caille et le perdreau!

— Je le savais, je le savais! fit le médecin. Vous êtes incapable de rester tranquille, toujours en train de bouger, de vagabonder... Vous avez toujours envie d'être ailleurs.

Phoenix retint une répartie, le bon vieux charlatan ne croyait pas si bien dire. Si maître Anseaulme s'enorgueillissait de ses connaissances médicales, il était tout autant féru de sciences astrologiques et hermétiques et distribuait ses conseils à qui voulait bien les entendre. Il était d'avis que ce nouvel apprenti de Flamel constituait un public réceptif.

De son côté, l'écrivain hochait la tête en levant les yeux au ciel tandis que maître Anseaulme poursuivait sa consultation astrologique. Si Flamel ne croyait plus un traître mot des propos de son ami, c'est qu'il avait payé chèrement la foi qu'il avait accordée pendant de nombreuses années à ses divagations.

Puis le bonhomme se décida enfin à s'en aller, emportant sous son bras son précieux grimoire.

D'avoir parlé de gibier avait mis l'eau à la bouche de Phoenix, et il espérait que bientôt Flamel allait décréter l'heure du dîner. Le repas se prenait normalement assez tôt à l'époque, entre dix heures et onze heures, avait-il relevé dans ses ouvrages de référence. Sa gourmandise trouva rapidement satisfaction puisque moins de vingt minutes après le départ d'Anseaulme, Pernelle vint leur apporter une «arboulastre en tartre faicte a la paelle», que Phoenix identifia comme une quiche d'œufs battus au gingembre et aux herbes dont il se délecta et recopia aussitôt la recette, qu'il se promit de faire découvrir à Faustine lors de leur prochain tête-à-tête.

— Eh bien, jeune homme, je vois que Dame Pernelle a compris que vous préfériez la nourriture de l'esprit à celle de l'intellect, ironisa Flamel en découvrant que Phoenix avait rapidement pris en note la recette de sa femme.

— Il ne faut pas laisser perdre de si bonnes créations culinaires, répliqua l'enquêteur sur un ton amusé.

Sa phrase tira enfin un sourire à Dame Pernelle. L'allusion à sa bonne cuisine avait su le rendre sympathique à la matrone, qui conservait néanmoins un peu de méfiance envers cet étranger.

— Mais quel est donc ce langage? s'étonna l'écrivain en découvrant que Phoenix avait noté le nom des ingrédients et la préparation en français du troisième millénaire. Un code secret? Vous écrivez vos recettes de bouche comme s'il s'agissait de recettes alchimiques?

— Euh… hum! Oui… euh… je… euh…

Phoenix ne savait plus comment se sortir de ce piège qu'il s'était lui-même tendu.

— Avez-vous approché le Grand Œuvre*? murmura Flamel de manière à ce que Robin n'entendît pas ses propos.

«Ouf! Voilà ma chance, saisissons-la», songea l'enquêteur en déclarant :

— Nous sommes compagnons de Compostelle… Mon père connaissait maître Canchès… tout comme vous, paraît-il?

Flamel le dévisagea de ses yeux perçants. Phoenix lui était sympathique, il semblait connaître beaucoup de choses en matière alchimique et, de toute évidence, était un Adepte.

— Je sais que vous avez percé le mystère du Petit Magistère*, le relança le détective…

Flamel tressaillit et jeta un coup d'œil par la porte ouverte de son échoppe. Il fit un signe discret à Phoenix pour l'enjoindre de ne plus dire un mot, puis s'adressa à Robin :

— Le cours est terminé, vous pouvez rentrer chez vous ! J'ai à faire à l'hôpital des Quinze-Vingts…

Le jeune garçon le regarda d'un air intrigué. Jamais maître Flamel ne terminait sa leçon si rapidement, même pour se rendre au Quinze-Vingts, l'un des hôpitaux au service des aveugles qui bénéficiait de sa générosité.

— Bien, à demain ! fit le garçon en rangeant parchemins, plumes et encre, avant de disparaître sur un dernier regard interrogateur.

Lorsque Robin eut tourné au coin des rues de Marivas et des Escrivains, Flamel repoussa la porte derrière lui pour se retrouver seul à seul avec cet étranger qui en savait suffisamment pour le faire pendre haut et court au marché aux Pourceaux.

— Je sais qu'il serait imprudent de faire étalage de votre savoir au grand jour, maître Flamel, commença Phoenix, et je ne suis pas là pour vous causer quelque trouble que ce soit… Je suis venu à vous comme simple élève, pour comprendre…

— Vous voulez apprendre à faire de l'or, comme tous les autres… grommela Nicolas Flamel, en posant une bûche sur les chenets, autant pour réchauffer la pièce que pour y ajouter de la lumière.

— Non… détrompez-vous ! s'exclama Phoenix. Je ne suis pas là pour vous nuire, bien au contraire !

— L'or est sans doute la chose la plus terrible qui soit, mon jeune ami. Son pouvoir est immense et infernal, continua le maître avec un visage fermé.

— Toutefois, il peut aussi servir à soulager les malades et les orphelins, à aider ceux qui sont dans la peine… insista Phoenix.

— Je constate que vous me connaissez mieux que vous n'osez l'avouer ! déclara l'écrivain en scrutant son interlocuteur des pieds à la tête. Cela fait longtemps que je m'attends à être arrêté à tout moment. Mes largesses ont sans doute porté ombrage à quelque gentilhomme, à moins que ce ne soit au roi lui-même…

— Non, n'ayez aucune crainte, s'exclama Phoenix en serrant la main du quinquagénaire. Je ne suis ni un espion ni un voleur, et je ne fais pas non plus partie de ces gens d'armes lancés aux trousses des faiseurs d'or, faites-moi confiance !

— Vous faire confiance ! Je crois que je n'ai guère le choix, soupira l'écrivain, guère rassuré, puisque vous semblez tout connaître de ma vie et de mon œuvre.

CHAPITRE 4

— Je vivais tranquillement et sereinement avec Dame Pernelle, commença Nicolas Flamel, nous n'étions pas riches, pas pauvres non plus. Ma femme avait un certain pécule lorsque nous nous sommes mariés, ce qui m'a permis d'ouvrir deux échoppes dans la rue des Escrivains, puis de faire bâtir cette demeure où vous vous trouvez...

Phoenix, attablé devant son interlocuteur, ne perdait pas un mot de cette étrange histoire qui tombait des lèvres mêmes de celui qui l'avait vécue. Il l'avait maintes et maintes fois lue dans ses livres de référence, mais l'entendre ainsi racontée par le principal intéressé était autrement plus intéressant et fascinant.

— Vous n'étiez donc pas préoccupé de philosophie hermétique? s'enquit à voix basse Phoenix, en portant un verre de vin coupé d'eau à ses lèvres, pendant que Dame Pernelle donnait ses ordres à Margot la Quesnel, sa domestique.

— Certes non! Toutefois, mon activité de libraire m'a mis rapidement en contact avec d'étranges ouvrages que j'ai eu à copier et à vendre, et j'ai commencé à m'intéresser à la question...

— Mais à quel moment de l'histoire intervient votre rêve?

— À peu près à cette époque, il est vrai. J'ai eu la vision d'un ange tenant à la main un livre relié de cuivre doré... Cette apparition ne m'a plus quitté pendant de nombreuses années.

— Puis un étrange visiteur vous est apparu, c'est bien ça?

— Oui. Un soir, j'ai découvert un étranger devant mon échoppe, un peu comme vous, quand vous êtes apparu brusquement. Il me regardait fixement. Sa peau était tannée et cuite comme celle des Infidèles*, mais il ne m'a pas effrayé.

Dame Pernelle retourna vivement ses grands yeux bleus vers son mari, inquiète. À son sens, cet étranger en savait déjà trop sur son époux. Comment avait-il bien pu en apprendre autant alors qu'il prétendait être tout juste arrivé de la veille à Paris? Elle n'aimait pas le tour que prenait la conversation.

— Vous êtes une âme charitable, vous l'avez donc invité à se reposer sur le banc devant chez vous... continua Phoenix, sans s'apercevoir des coups d'œil fréquents de la maîtresse de maison en sa direction.

— Exactement. Il avait un accent épouvantable, mais je le comprenais néanmoins. Il a sorti de son bissac un paquet de chiffons qu'il a dépliés. Alors est apparu un livre... LE livre dont j'avais rêvé plusieurs années auparavant.

— Mon ami, pourriez-vous aller me quérir un peu d'eau au puits au coin de la rue? l'interrompit Pernelle, souhaitant ainsi mettre un terme à cet interrogatoire qu'elle n'appréciait pas du tout.

— Oui, ma mie ! Dans quelques secondes… lui répondit Flamel sans comprendre qu'elle voulait l'éloigner de Phoenix.

Ce dernier avait toutefois saisi l'intention de Pernelle et il enchaîna rapidement pour ne pas laisser le temps à son hôte d'en faire autant :

— Vous l'avez fait entrer dans votre échoppe…

— … en prenant soin de bien refermer l'huis, évidemment ! compléta Flamel, maintenant totalement plongé dans ses souvenirs. Ses mains tremblantes m'ont donné le livre, composé de vingt feuillets de papier étrange. Il s'agissait de fines écorces d'arbrisseaux comme j'ai pu m'en apercevoir plus tard. Sur la page de garde étaient tracés, en lettres latines et à la pointe de fer, mais coloriées avec art, les mots suivants : « Abraham le Juif, prince, prêtre lévite, astrologue et philosophe, à la gent des Juifs par l'ire de Dieu, dispersée aux Gaules, salut. D.L. » Il y avait aussi de superbes images. Pris de je ne sais quelle lubie, j'ai pressé l'inconnu de me vendre cet ouvrage. À mon grand étonnement, il ne s'est pas fait prier et me l'a cédé pour une somme ridicule, deux florins. Puis il a disparu avec mon argent…

— Vous ne l'avez jamais revu ?

— Jamais.

— Qu'avez-vous fait ensuite ?

Pernelle, prise d'une soudaine frénésie, tournait autour des deux hommes comme une mouche autour d'un pot de miel, entrechoquant casseroles et ustensiles dans le but évident de déconcentrer son époux. Mais Flamel ne prêta aucune attention aux gesticulations de son épouse et continua à dévider ses souvenirs avec exaltation.

— Je me suis tout de suite penché sur ce grimoire pour tenter d'en décoder les étranges illustrations. Peine perdue! La seule chose que je comprenais, c'est ce mot *maranatha*, qui signifiait que les pires malheurs allaient s'abattre sur la tête de celui qui y jetterait les yeux, à moins qu'il ne soit sacrificateur ou scribe…

— Scribe… vous l'étiez, en tant qu'écrivain public! s'exclama Phoenix.

— C'est ce que j'ai pensé par la suite. Mais je vous prie de me croire que le mot *maranatha*, qui revient souvent dans cet ouvrage, ne cessait de me hanter. Tellement qu'au début je n'ai même pas osé tourner les pages, de peur que la malédiction ne me frappe et que je périsse sur-le-champ.

— Qu'est-ce qui vous a convaincu de poursuivre votre lecture?

— Dame Pernelle, mon bon ami!…

Saisissant son nom au vol, l'hôtesse vint se planter devant son époux avec un broc à la main, lui signifiant par ce geste qu'il était temps d'aller quérir l'eau comme elle le lui avait demandé. Mais le bonhomme, toujours aussi éloquent, repoussa doucement vers l'extrémité de la table le pichet déposé devant lui, et poursuivit son discours :

— En me faisant remarquer, tout comme vous venez de le faire, que j'étais écrivain, donc scribe, et que, de ce fait, je ne risquais rien. Nous sommes donc tombés à genoux pour implorer Dieu de nous éclairer.

— Nuit et jour, pendant vingt et un ans, Nicolas a tenté de percer le mystère du *Livre d'Abraham le Juif*, intervint finalement Pernelle sur un ton sec, tout en saisissant un ouvrage de broderie dans un panier près de l'âtre pour le poursuivre à la lueur d'une chandelle.

Elle se disait que le jeune homme allait ainsi comprendre que son mari n'avait jamais pu découvrir le sens des figures hiéroglyphiques du mystérieux livre et qu'il était inutile de poursuivre l'interrogatoire. Mais non, voilà que Flamel relançait la conversation. Elle soupira, totalement découragée. Nicolas aimait trop parler, elle lui avait toujours dit que cela lui jouerait un mauvais tour un jour ou l'autre.

— Impossible d'y comprendre quoi que ce soit, continua Flamel. Les allusions religieuses, chimiques et physiques, tout se mêlait et rendait cet ouvrage complètement obscur. Pourtant, je ne désespérais pas de le lire un jour aussi clairement que ce livre d'heures que vous avez si maladroitement tenté de recopier, fit Flamel, avec un sourire en coin. Le secret était là, à deux doigts de mes yeux brûlés par la fatigue…

— Et puis l'empêcheur de tourner en rond est entré dans nos vies, laissa tomber Pernelle sur un ton rageur, car elle comprenait bien que son mari était bien parti pour dire tout ce qui s'était passé. En s'en mêlant, espérait-elle, peut-être parviendrait-elle à retenir quelques-unes de ses trop nombreuses confidences.

Voyant que Phoenix ne comprenait pas où elle voulait en venir, elle ajouta :

— Vous l'avez rencontré vous aussi. Je veux parler de maître Anseaulme, ce licencié en médecine qui se pique d'alchimie.

— Ne sois pas si sévère avec lui, Pernelle. Il a voulu bien faire. Maître Anseaulme voulait m'aider. Il avait vu, par inadvertance de ma part (Pernelle poussa un soupir qui laissa soupçonner un reproche), *Le Livre d'Abraham le Juif* sur un lutrin, dans mon échoppe. Le lendemain, j'ai réussi à lui faire croire que c'était un ouvrage que j'avais à recopier pour un inconnu qui était revenu le reprendre. Toutefois, il ne se passait pas une journée sans qu'il vienne m'exposer ses interprétations des illustrations qu'il avait aperçues.

— Interprétations complètement farfelues, bien entendu! persifla Pernelle.

— Je l'ai cependant écouté avec patience et bienveillance… pour ne pas lui donner à croire que je lui cachais quelque chose. Pieux mensonge!

— Pour ton plus grand malheur! ajouta Pernelle, en relevant une fois encore le nez de son ouvrage, espérant qu'il comprenait l'allusion et qu'il allait enfin se taire.

— Oui, bon! persista Flamel. Vous avez entendu ses étranges recettes pour guérir les maux. Les explications de maître Anseaulme concernant ce livre ont été tout aussi saugrenues, je peux bien l'avouer.

— Qu'est-ce qu'il vous a dit? le questionna encore Phoenix.

— D'après lui, le premier agent nécessaire pour réaliser le Petit Magistère puis le Grand Œuvre était le vif argent, dont il fallait faire une longue décoction dans un sang très pur de jeunes enfants, et ce, pendant six ans. Puis le vif argent se combinant avec l'or et l'argent deviendrait une herbe comme celle illustrée sur les feuillets. Le tout se changerait ensuite en serpents, comme on en voit dans les trois premières illustrations. Finalement, une fois cuits et desséchés, ceux-ci se réduiraient en poudre d'or, qui serait la Pierre Philosophale.

— Oui, vous avez bien compris : mêler le sang pur de très jeunes enfants à du vif argent... Quelle abomination ! s'écria Pernelle, en se signant, incapable de masquer sa crainte.

Flamel l'imita.

— Malheureusement, en me laissant influencer par certaines interprétations de maître Anseaulme, j'ai fait mille et une brûleries inutiles. Sans toutefois utiliser le sang d'innocents, rassurez-vous jeune homme ! se hâta de préciser l'écrivain.

— Je sais que vous n'avez pas suivi les conseils criminels de maître Anseaulme, ne vous en faites pas ! le rassura Phoenix. Mais comment vous est venue l'idée d'aller en Espagne ?

— Je n'arrivais à rien de rien. Il me fallait de l'aide. Malheureusement, en 1306, le bon roi Philippe IV le Bel a chassé du royaume de France plus de cent mille Juifs, et avec eux les maîtres kabbalistes qui auraient pu m'aider. Ceux-ci ayant trouvé refuge en Espagne, je devais donc m'y rendre pour trouver celui qui saurait interpréter les figures du livre...

— Pourquoi Saint-Jacques-de-Compostelle alors ? s'étonna Phoenix.

Pernelle se demanda brusquement si Phoenix n'avait pas été envoyé par l'Église et son tribunal d'Inquisition, qui réprimaient durement tous les actes et paroles jugés hérétiques. Il était temps de prouver qu'ils étaient tous bons chrétiens dans cette maison.

— C'est moi qui ai eu cette intuition, intervint Pernelle, abasourdie de voir que l'étranger connaissait autant de détails sur la vie de son époux. Puisque la science à laquelle Nicolas s'adonnait ne pouvait venir que de Dieu, c'était la route à suivre. Sur ce chemin, il allait sûrement croiser quelque vieillard formé dans des synagogues qui pourrait l'éclairer.

— À la fin du printemps, je suis donc parti sur les routes de France et d'Espagne, après une dernière prière à Notre-Dame. J'ai marché pendant des semaines et des semaines. De temps en temps, je reconnaissais un pèlerin aux coquilles de son manteau et à son bâton, mais j'espérais toujours rencontrer l'un de ces fils d'Abraham si érudits…

— Vous n'aviez pas peur d'être ainsi, seul, sur la route ?

— Les pèlerins sont bien accueillis partout et, heureusement, le pays était tranquille depuis plusieurs mois, grâce à la politique de notre roi. Pas de soudards* à la solde des Anglais dans les campagnes. J'allais donc tranquillement de ville en village. Et puis un soir, je me suis rendu compte que je ne comprenais plus la langue des gens du pays.

— Vous étiez arrivé en Espagne ! s'exclama Phoenix.

— J'ai poursuivi mon chemin avec plus de volonté encore, continua Flamel. Je me suis rendu comme prévu sur la tombe de Saint-Jacques et je l'ai prié de mettre sur ma route celui qui saurait m'éclairer. Après plusieurs semaines de vaines attentes, découragé par le peu de réussite de mon entreprise, j'ai décidé de rentrer. Un soir, sur le chemin du retour, j'ai trouvé abri dans une auberge de León. Malheureusement, au matin, l'aubergiste m'a découvert cloué au lit par la fièvre.

— C'est là qu'il a fait venir un médecin. Maître Canchès!
s'emporta Phoenix.

— Oui. L'aubergiste m'a dit que le savant était né dans
un pays barbaresque, mais peu m'importait, s'il pouvait me
soigner…

— Ce qu'il a fait habilement! ajouta Phoenix.

Flamel le dévisagea encore une fois, mal à l'aise.

« Hum! Je dois faire attention, songea Phoenix. J'ai
presque l'air de mieux connaître sa vie que lui-même. »

Pernelle s'approcha de la table pour glisser une chandelle
neuve dans l'un des deux bougeoirs qui éclairaient les deux
hommes. Son regard lourd se posa une fois encore sur le jeune
homme, cherchant à percer le mystère de ses yeux pervenche.
Elle n'y vit que franchise et appétit de connaissance, aucune
trace de malice. Se pouvait-il que ce garçon ne soit après
tout que ce qu'il disait être, un pèlerin de Compostelle et
peut-être un Adepte, un peu trop curieux peut-être, mais
pas méchant pour deux sous? Elle l'espéra, car son homme
en avait suffisamment dit pour leur attirer les pires malheurs
s'il s'agissait d'un envoyé de l'Église.

— C'était un homme de petite taille, reprit finalement
Flamel. Il avait une grosse tête et des yeux de chouette. Dieu
qu'il était laid! Accoutré tel un mendiant comme il l'était,
il ne payait pas de mine, mais dans l'état où je me trouvais
moi-même, je n'allais pas faire le difficile sur l'allure du
médecin. Nous avons parlé en latin, car je ne comprends pas
l'espagnol et lui ne parlait pas le français… mais nous nous
sommes bien entendus.

— Il vous a préparé un breuvage de sa composition et
vous avez retrouvé vos couleurs, déclara Phoenix.

Flamel jeta encore un coup d'œil au jeune homme, avant de poursuivre :

— Au matin, la fièvre était tombée. J'étais guéri ! Maître Canchès m'a dit alors une phrase qui, comme celle que vous avez prononcée en arrivant ici, m'a fait comprendre qu'il était versé en sciences hermétiques. Il a déclaré que, en tant qu'humble médecin, il n'avait pas la prétention d'être le guérisseur des six lépreux… Évidemment, j'ai compris son allusion aux métaux.

Phoenix sourit et, une fois de plus, en entendant ces mots, Pernelle se signa.

— Je ne me tenais plus de joie ! Je savais qu'en venant dans ce pays j'y rencontrerais celui qui saurait m'éclairer. Après avoir discuté de nos différentes expériences pour réaliser le Grand Œuvre, je me suis décidé à lui montrer les illustrations du *Livre d'Abraham le Juif* que j'avais emportées avec moi dans l'espoir que quelqu'un me les traduise correctement. Maître Canchès a reconnu immédiatement ce qu'il a appelé «Le Livre perdu des Juifs», l'*Asch Mezareph*. Je lui ai offert de voir l'original s'il acceptait de me suivre jusqu'à Paris.

— Il ne s'est pas fait prier pour venir avec vous ? l'interrogea Phoenix en tentant de dissimuler ce qu'il savait sous de faux airs interrogateurs.

— Non, pas du tout. Et tout au long du chemin, il a interprété pour moi les illustrations que je n'étais jamais parvenu à déchiffrer malgré mes vingt années d'études. Malheureusement, maître Canchès n'a jamais vu le *Livre perdu :* il est mort à Orléans, presque aux portes de Paris.

— Oh, quel malheur ! fit Phoenix.

Il avait enfin remarqué tous les coups d'œil soupçonneux de Pernelle, saisi toutes ses allusions, et il avait compris qu'il l'avait effrayée avec son savoir et ses questions.

— Oui, un grand malheur! fit Flamel, en traçant encore une fois le signe de croix sur lui. Nous nous sommes peu connus, et pourtant je suis fier de dire que nous étions devenus des amis. De grands amis. Je l'ai fait inhumer à l'église Sainte-Croix d'Orléans, et je l'ai pleuré longtemps et avec sincérité...

Nicolas Flamel se leva et se dirigea vers un grossier meuble de bois. Il ouvrit un tiroir et en sortit de grosses besicles de corne et quelques pilules que son ami avait tenté de prendre pour se guérir, en vain, du mal qui le rongeait. Il sortit aussi un petit livre que maître Canchès avait copié lui-même. Aux yeux de Flamel, c'était le plus bel héritage qu'un homme puisse laisser à un ami : les clés de l'interprétation du *Livre d'Abraham le Juif.*

— Mais vous, dites-nous, comment votre père a-t-il connu maître Canchès? l'interrogea Pernelle, en déposant sa broderie dans le panier où elle gardait ses fils et ses vêtements à repriser.

Phoenix s'attendait à devoir faire ce récit depuis qu'il avait mentionné le nom du médecin espagnol. Il ne fut donc pas surpris par la question. Il avait eu le temps d'échafauder son histoire et surtout de la rendre plausible.

— Mon père était de la région des Pyrénées, aux frontières de l'Espagne. Il a bien connu maître Canchès, car il a étudié la médecine lui-même et récolté souvent des plantes dans les hauts pâturages. Maître Canchès a été son professeur en médecine à l'Université de Salamanque, mais aussi en sciences hermétiques, et ils sont toujours restés en contact.

— Et monsieur votre père est aussi un Fils de la Doctrine? l'interrogea Flamel.

— Euh… il n'a pu réaliser le Grand Œuvre, répondit rapidement Phoenix, qui sentait le terrain devenir de plus en plus glissant. Il est mort… tué par un ours en ramassant des herbes médicinales dans les pâturages.

Les Flamel lui prodiguèrent de bons mots de réconfort en déplorant cette lourde perte. Puis, après un rapide souper qui laissa Phoenix sur sa faim, car il n'était composé que de soupe à l'orge et de pain bis, chacun se dirigea vers sa couche.

Le lendemain était un grand jour pour le quartier, l'avait averti Flamel. Le roi devait passer, en grand équipage, pour se rendre au Collège de la Sorbonne. C'était un spectacle qu'aucun Parisien n'aurait voulu manqué pour rien au monde.

Après avoir pris place dans leur couche, Pernelle reprocha à Nicolas de s'être ainsi entièrement dévoilé à ce garçon qui, lui-même, semblait avoir beaucoup de choses à cacher. L'écrivain-libraire reconnut qu'il s'était laissé emporter par la discussion, tout en se disant convaincu que l'étranger ne leur voulait aucun mal. Et il demanda à Pernelle d'avoir de meilleures façons avec leur invité.

CHAPITRE 5

Phoenix était absorbé dans le *Livre des Figures Hiéroglyphiques,* ouvrage composé par Nicolas Flamel pour exposer ses théories et ses expériences concernant la Pierre Philosophale. L'écrivain lui avait fortement recommandé cette lecture s'il voulait en comprendre un peu plus sur les arcanes du Grand Œuvre. Les Adeptes devaient se montrer discrets quand ils pratiquaient leurs expériences, mais ils ne rechignaient pas à exposer leurs théories à ceux qu'ils jugeaient dignes de leurs confidences. Ils s'étaient même donné pour mission de former des apprentis pour poursuivre leur œuvre hermétique.

Des clameurs tirèrent Phoenix de sa lecture. Il déposa l'ouvrage dans un coffre de bois qui reposait dans un coin de *La Fleur de Lys,* alors que l'écrivain lui faisait signe de se dépêcher. Flamel ferma son échoppe à double tour, et les deux compères se hâtèrent de rejoindre Pernelle et Robin, qui se dirigeaient déjà vers le Grand Châtelet, de sinistre réputation puisqu'il relevait de la prévôté de Paris et tenait lieu de prison et d'endroit de torture.

Arrivés au Grand Châtelet, ils empruntèrent un passage voûté qui s'enfonçait sous la forteresse pour gagner les rives de la Seine. Cette déambulation dans les rues moyenâgeuses fut un véritable cauchemar pour Phoenix. De la rue de la Triperie sur sa gauche, où les tripiers éviscéraient les animaux, et de la rue Pierre à Poisson sur sa droite, où les pêcheurs exposaient leurs marchandises, montaient des odeurs infectes. À tout moment, il redoutait de tourner de l'œil.

Détournant la tête, il aperçut un pauvre diable aux plaies béantes, écrasé par la misère, dont les doigts crochus serraient une sébile de terre. Il sentit la chair de poule le parcourir sous son bliaut.

Il pressa le pas, pour finalement arriver sur une place où des senteurs beaucoup plus agréables lui redonnèrent des couleurs. Ils approchaient de la place des cuisiniers où les artisans préparaient les mets les plus alléchants.

— Belles oies ! Confits de foie gras, longes de porcelets à la crème, leur lança un cuisinier, en tentant de les attirer dans son échoppe qui exhalait une bonne odeur de victuailles.

Mais les marcheurs n'avaient guère le temps de s'arrêter. Ils couraient presque vers le Grand Pont, appelé aussi pont aux Changeurs, que le roi allait emprunter pour traverser la Seine, en direction des Écoles* situées de l'autre côté du fleuve.

— Vive le Roi Charles, vive le Bien-Aimé, criait maintenant la foule qui se pressait aux balcons des habitations.

Un chariot déboucha soudain par une ruelle et força le quatuor à se réfugier sur le haut du pavé, une portion de la chaussée protégée par les encorbellements des maisons, où l'on était sûr de ne pas recevoir de la boue et des excréments au visage. En effet, même si théoriquement chacun devait disposer de ses ordures en dehors de la ville, beaucoup se contentaient de jeter le tout au milieu de la chaussée, comptant sur la dénivellation du terrain, la pluie, les cochons et les rats pour les en débarrasser.

Puis ils franchirent un passage de planches qui leur permit de traverser un ruisseau où glissaient vers la Seine le sang et le gras provenant des boucheries, des triperies et des écorcheries. Ils devaient aussi garder l'œil ouvert pour ne pas recevoir sur la tête le contenu d'un pot de chambre jeté par une fenêtre. Phoenix retint avec peine un haut-le-cœur, et sa main partit à la recherche d'un carré de tissu imbibé de parfum qu'il avait pris soin de glisser dans sa poche de manteau avant de quitter l'échoppe. Il le plaqua sur son nez, au grand étonnement de Pernelle qui n'avait jusqu'alors vu ce geste que chez des dames de la cour au nez sensible.

Ils débouchèrent enfin près du pont aux Changeurs et, à coups de coude bien placés, parvinrent à se glisser au premier rang des badauds. Devant eux, à cheval, escorté par de nombreux écuyers, chevaliers et personnages de la cour, le jeune roi de vingt-cinq ans caracolait en tête. Phoenix constata que le monarque n'était pas grand, mais dépassait quand même la taille moyenne des gens de cette époque. Il avait l'air robuste, vif et affichait un teint clair et des yeux pétillants. C'était visiblement un bon cavalier. Il saluait avec bienveillance et apostrophait même quelques personnes pour s'enquérir de leur santé, de leur emploi, de leurs enfants. Son surnom de Bien-Aimé lui venait de sa libéralité. Pour un roi, Charles VI était un être généreux, même si les coffres du royaume étaient presque vides.

— Qui est-ce? demanda Phoenix en désignant un quadragénaire à l'allure fière, qui chevauchait un cheval gris juste derrière le roi.

— Pierre d'Aumont, sire de Cramoisy dit le Hutin, le chambellan et le maître des requêtes. Un administrateur de comptes, soupira Flamel.

— Oh, le Hutin... le querelleur, traduisit Phoenix à haute voix.

— Il porte bien son surnom, confia Pernelle, il est toujours en train de chercher querelle aux uns et aux autres pour un détail, une peccadille. Il vaut mieux ne pas avoir affaire à lui.

Mais déjà le cortège royal s'éloignait vers l'île de la Cité et l'ancien Palais-Royal délaissé par la cour. De loin en loin, ils entendirent encore fuser les exclamations des badauds, puis ils firent demi-tour pour retourner dans le quartier Saint-Jacques-la-Boucherie où Flamel tenait commerce.

Si le libraire avait tressailli en apercevant le sire de Cramoisy, celui-ci avait fixé intensément ses yeux noirs sur le petit homme. Le visage du copiste était bien connu à la cour puisque nombre de hauts personnages faisaient appel à ses talents d'écrivain et surtout d'enlumineur. Le redoutable maître des requêtes avait même reçu l'ordre du roi de rendre une petite visite au copiste. Depuis quelque temps, la rumeur de la richesse soudaine de Flamel enflait et, comme il fallait s'y attendre, était parvenue aux oreilles de Charles VI. Même si le roi était aimable et généreux, il n'était pas né de la dernière pluie.

D'ailleurs, deux jours plus tôt, la fortune de l'écrivain-juré avait été au cœur d'une discussion animée entre le roi et son chambellan.

— Il y a quelques années, Flamel a fait construire un nouveau portail pour son église de Saint-Jacques-la-Boucherie, presque en face de son domicile, avait raconté Cramoisy après enquête. Il s'y est fait représenter avec sa femme Pernelle de chaque côté de la Vierge. L'ouvrage est finement conçu, avec des anges, des banderoles portant des légendes saintes, des prières et des représentations de l'Enfant Jésus, de saint Jean-Baptiste et de saint Jacques.

— Beaucoup de riches marchands ont fait de même, avait répliqué le roi, qui ne voyait rien de répréhensible dans cette donation.

— Oui, mais les dépenses de ce couple sont de plus en plus importantes, continua Cramoisy. Il a fait orner de boiseries et de sculptures la chapelle Saint-Clément, lui a donné des calices d'or et d'argent, des soieries pour les officiants, des tableaux pour le maître-autel...

— Cette église est celle de son quartier. Ces gens sont pieux et n'hésitent pas à la dépense, continua le roi.

— Et le cimetière des Innocents. Il y a fait décorer deux arcades avec des peintures et des inscriptions portant son chiffre* sur les voûtes du Charnier des Escrivains.

— Peut-être pense-t-il que son corps y reposera un jour, fit le roi, lassé par les descriptions de son chambellan.

— Depuis une dizaine d'années, les Flamel ont fait des donations à plus d'une dizaine d'hôpitaux, de chapelles et d'églises... Aucun seigneur, aucun membre de la cour n'en a fait autant en si peu de temps, insista le Hutin. Pas même vous, Sire !

Ce «pas même vous, Sire !» sonna comme une insulte aux oreilles du monarque. Que quelqu'un puisse se montrer plus généreux que le roi était sans aucun doute un crime de lèse-majesté*.

Le roi n'était pas un idiot, mais il était sujet à des crises de démence depuis ce fameux jour où il avait massacré ses propres hommes à coups de hache, un an auparavant. La moindre contrariété pouvait faire basculer son esprit affaibli. Pierre de Cramoisy décida de ne pas insister davantage, pour le moment, sur la richesse des bourgeois de Paris. Il avait cependant su instiller le germe du doute dans l'esprit du souverain, ce qui n'était déjà pas si mal. Le maître des requêtes décida de laisser le temps et la réflexion faire leur œuvre. Il recula en faisant une profonde révérence et quitta la salle du Conseil du Louvre où le monarque recevait ses plus proches collaborateurs.

Ce fut donc sur le chemin du Palais-Royal que la discussion de l'avant-veille revint à la mémoire du roi. En traversant le pont aux Changeurs, où s'étaient installés orfèvres et changeurs, son esprit affaibli se mit à imaginer mille et un complots visant à le spolier, à amoindrir son autorité, à berner le Trésor, bref, à se moquer de lui. D'un signe, il demanda à son chambellan de chevaucher à sa hauteur, puis il lui dit :

— Cramoisy, je vous charge de vérifier si ce que l'on dit est vrai ! Voyez si ce Flamel, dont vous m'avez entretenu avant-hier, fabrique vraiment de l'or comme vous sembliez le supposer. Si c'est le cas, arrêtez-le, lui, sa femme et tous leurs serviteurs, et faites-les conduire au Grand Châtelet, où vous chargerez l'examinateur Robert de Thuillières de se pencher sur leur cas. Qu'il les fasse parler !

Le sire de Cramoisy acquiesça d'un signe de tête servile.

— Je me rendrai en personne à son échoppe, Sire, dès la fin de notre visite des Écoles.

* * *

À peine la cour avait-elle repris le chemin du Louvre, au sortir de la Sorbonne, que Cramoisy se précipita vers la rue des Escrivains.

Flamel et Phoenix étaient en train de discuter d'art hermétique, penchés sur les gravures que le libraire entendait faire graver sur sa tombe le moment venu, lorsque le maître des requêtes débarqua dans l'échoppe. Il était venu seul, ce qui rassura et inquiéta Flamel à la fois. Il était rassuré puisque, n'ayant pas de soldats avec lui, le sire de Cramoisy n'était sans doute pas là pour l'arrêter, mais il était aussi inquiet, parce que la visite solitaire d'un personnage aussi haut placé pouvait laisser augurer des pressions et, pourquoi pas, du chantage.

— Allons chez vous, lui lança le Hutin après avoir bien examiné l'échoppe marquée de la fleur de lys et constaté qu'elle ne présentait aucun signe de richesse.

Flamel ferma donc sa boutique principale, tout en veillant à ce que ses aides, Dreue et Mahiet, poursuivent leurs travaux dans la seconde. Puis il invita le maître des requêtes à le suivre chez lui. Phoenix leur emboîta le pas, intrigué lui aussi par cette visite inattendue.

Pierre de Cramoisy resta quelques instants sur le seuil à considérer les lieux d'un œil perçant. Puis il entra, cherchant désespérément du regard un signe, un objet, une trace révélant la fortune de l'écrivain. Mais il ne vit rien que des écuelles de terre cuite disposées sur la table, Margot la Quesnel, qui touillait la soupe, et sa fille Colette, qui ramassait des copeaux tombés d'un tas de bois entassé près de l'âtre. Pernelle brodait tranquillement au coin du feu. À grandes enjambées, le noble personnage parcourut la cuisine, puis monta aux chambres. Rien ne lui parut suspect. Il revint ensuite s'adresser à maître Flamel.

— Flamel, cher ami! commença Cramoisy.

Le « cher ami » du sieur de Cramoisy fit froid dans le dos à l'écrivain. Il connaissait le maître des requêtes de réputation, mais aussi pour l'avoir souvent croisé dans les antichambres royales lorsqu'il livrait des travaux qu'on lui avait commandés. Il savait que cette entrée en matière pour le moins ironique dissimulait mal de nombreuses menaces à venir.

— Je suis venu vous mettre en garde, poursuivit le chambellan du roi, sans se préoccuper du pli soucieux qui barrait le front de son interlocuteur. Vous savez que, depuis de nombreux mois, des rumeurs circulent partout dans Paris. Celles-ci sont venues aux oreilles de notre bon roi. Et vous n'êtes pas sans savoir que les puissants, surtout les monarques, n'aiment guère que leurs sujets fassent étalage de leur richesse et se montrent plus prodigues qu'eux.

Flamel avala difficilement sa salive. Il s'attendait au pire.

— L'esprit malade de notre bon Charles VI est prompt à imaginer toutes sortes de manigances, poursuivit Cramoisy.

Le maître des requêtes marqua une pause pour être sûr que ses propos étaient bien compris du copiste, puis reprit :

— Voilà maintenant qu'il vous soupçonne de fabriquer de l'or…

— Mais… s'étouffa le libraire.

— Non, ne dites rien, laissez-moi terminer, insista le maître des requêtes. Vous me semblez sympathique et excellent chrétien. Vous savez qu'en tant que faux-monnayeur vous risquez d'être bouilli vif, et en tant qu'alchimiste vous êtes passible de tortures effroyables s'il est avéré que vous avez fabriqué de l'or.

— Mais... balbutia encore Flamel, je ne suis ni l'un ni l'autre...

— Vous savez que seul le roi a le privilège de battre monnaie, un droit qui lui a été accordé par le Très-Haut, continua Cramoisy sur un ton paternaliste, mais qui sembla menaçant à Phoenix. En conséquence, tout contrevenant est un hérétique. En usurpant cette sainte fonction, le faux-monnayeur ou l'alchimiste s'attaque à Dieu à travers le roi. La justice est radicale avec tout individu de ce genre : on lui arrache les membres, on l'écorche vif, puis il est pendu ou brûlé, selon ce qu'en décide le tribunal.

Pernelle avait laissé tomber sa broderie sur ses genoux et tremblait de tous ses membres ; Margot la Quesnel avait les yeux exorbités et la pâleur d'une morte ; la petite Colette pleurait, appuyée sur son balai.

« Et voilà, songea la maîtresse de maison. Cet étranger débarque ici et on se retrouve aux prises avec un envoyé du roi. Je me demande si ce Phoenix n'est pas un espion à la solde de Charles VI... »

Nicolas Flamel avala péniblement sa salive avant de déclarer :

— Mon argent ne sert qu'à soulager les malheureux, à aider les orphelins, à doter les hôpitaux, à embellir les lieux de culte... et je l'ai acquis honnêtement par mon travail.

— N'ayez crainte, maître Flamel, murmura finalement Pierre de Cramoisy, il ne vous arrivera rien de tout cela, à la condition... À une condition...

— Une condition ? s'étonna Phoenix, qui s'était installé dans l'encadrement de la porte et qui serrait les poings de fureur retenue.

Le maître des requêtes ne se retourna pas et continua de fixer Flamel droit dans les yeux.

— Je sais que vous avez entrepris de trouver la Pierre Philosophale, mon ami. Voilà plus de dix ans que je vous surveille. Vous avez des complices qui ont la langue trop bien affilée…

— Maître Anseaulme, soupira Phoenix, en maudissant le médecin. Il n'a pas su se taire…

Pernelle se tourna avec vivacité vers Phoenix, en fronçant les sourcils. Pour elle, maître Anseaulme n'était peut-être pas en cause.

— Je sais aussi que vous avez réussi à percer le secret de l'or deux ans après la mort de notre bon roi Charles V le Sage. Un certain jour de janvier, les violet, indigo, vert et jaune pâle qui ont filtré entre vos volets et sous votre porte ont attiré l'attention d'un homme de guet qui, heureusement, alors qu'il se précipitait à la prévôté pour chercher du secours, croyant à un incendie, s'est jeté dans les jambes de mon cheval. Le brave homme m'a tout raconté et j'ai compris…

— Vous avez compris ? s'étonna Flamel, qui retrouvait peu à peu son calme.

Les derniers propos du sire de Cramoisy avaient semé un doute dans son esprit. Le maître des requêtes était-il lui aussi à la poursuite du fabuleux secret ?

Pierre de Cramoisy afficha enfin un sourire et lança une phrase qui cloua tout le monde de stupeur :

— Montrez-moi la pierre ! Faites-m'en la démonstration et je vous garantis la paix. Le roi n'entendra plus jamais les rumeurs qui courent sur votre compte. Je me chargerai d'écarter de ses oreilles le moindre début de racontar.

Les Flamel échangèrent des regards anxieux, Margot la Quesnel et sa fille se signèrent et Phoenix sourit. Lui aussi avait envisagé de demander une démonstration à l'alchimiste, mais il avait cherché en vain le moyen de satisfaire sa curiosité sans inquiéter son hôte et sans éveiller plus de suspicion sur sa personne. Voilà que le maître des requêtes venait à sa rescousse, mais ses motifs étaient sans doute beaucoup moins nobles que ceux du jeune détective.

CHAPITRE 6

Flamel se résigna à obéir à la requête de Pierre de Cramoisy. Il n'avait pas le choix. S'il refusait, il risquait le Châtelet, tout comme Pernelle, Margot, Colette, Dreue, Mahiet, Phoenix et même le petit Robin.

Tremblant, l'écrivain se dirigea vers le mur noirci du fond de la cuisine. Après avoir déplacé maladroitement quelques casseroles et chaudrons qui pendaient au mur, il poussa délicatement du bout de la main une grosse pierre des champs, qui bascula vers l'intérieur du mur. Le libraire glissa la main dans le creux ainsi créé, tourna une lourde clef, et un vaste pan de la cloison s'ouvrit comme une porte.

Pernelle, un bougeoir vacillant à la main, entra la première. La lumière de la chandelle éclairait faiblement une petite pièce peu meublée. Dame Flamel se dirigea vers une table et y alluma deux lanternes qui y étaient déposées. Phoenix vit alors que le réduit contenait des alambics, des fioles de verre et de terre, et un feu, éteint pour le moment. Toujours fébrile et inquiet de son sort, Nicolas Flamel se dirigea vers le fond de la salle et alluma l'âtre.

Pierre de Cramoisy retenait son souffle, n'osant pas franchir la porte de l'antre secret. Ce fut Phoenix qui le tira à l'intérieur et qui referma la porte dérobée derrière eux, les mettant ainsi à l'abri des curieux. Margot la Quesnel et Colette, restées dans la cuisine, étaient chargées de veiller sur la maison et d'éloigner les visiteurs.

— Dans la nature, il existe une matière première unique pour tous les minéraux et tous les métaux, commença Flamel d'une voix mal assurée. Donc, tous les métaux sont composés d'éléments identiques, mais dans des proportions différentes. On peut modifier ces proportions grâce à un agent catalyseur que nous appelons la Pierre Philosophale.

— Une fois que l'on est en possession de cette fameuse pierre, on peut fabriquer aussi bien de l'or que de l'argent, du cuivre que du plomb! s'exclama Cramoisy, tout excité à l'idée du secret qu'il allait enfin percer.

— Oui, mais comment se procurer cette pierre magique? demanda Phoenix. On ne la trouve pas telle quelle dans la nature?

— La Pierre Philosophale est la fille du Soleil, de la Lune, de Vénus, de Mars, de Saturne, de Jupiter et de Mercure… annonça Flamel.

Phoenix leva les yeux au ciel, car cela ne lui en disait pas plus sur l'endroit où trouver cette mystérieuse pierre. Le libraire s'en aperçut et ajouta sur le ton de la confidence :

— Le Soleil est l'or ; la Lune est l'argent ; Vénus, le cuivre ; Mars, le fer ; Jupiter, l'étain ; Saturne, le plomb ; et Mercure, le vif argent…

« Les six lépreux! » murmura Phoenix pour lui-même.

— Donc, si je comprends bien, en mélangeant tous ces éléments, on obtient la Pierre des Alchimistes? l'interrogea Cramoisy qui, emporté par l'envie, s'était rapproché de l'âtre, les yeux flamboyant de convoitise.

— La Pierre Philosophale ne s'obtient pas si facilement, continua Flamel pour tempérer sa fougue. Il faut connaître les proportions, travailler sans relâche la matière. La Pierre apparaît alors sous forme cristalline, diaphane, rouge de prime abord, puis jaune après pulvérisation. Cette poudre peut passer de l'état liquide à l'état solide sous l'effet de la chaleur. Elle est également incalcinable, tranchante, ardente et pénétrante. Mais attention, la Pierre Philosophale en elle-même n'a aucun pouvoir de transmutation, elle ne se transforme pas elle-même. Elle ne sert qu'à réaliser les transmutations, c'est-à-dire à provoquer le changement d'une substance en une autre. Elle doit fermenter avec de l'or ou de l'argent purs. Pour changer la composition d'un métal, la poudre doit être rouge pour obtenir de l'or, blanche pour obtenir de l'argent.

— Pouvez-vous nous faire une démonstration ? demanda Cramoisy, qui, ébahi, regardait à présent fixement Flamel, les yeux remplis tout autant d'admiration que de cupidité.

L'écrivain ouvrit une petite bouteille qui contenait de la poudre dorée. Il en glissa une pincée dans un morceau de cire, puis il glissa un morceau de plomb dans une large louche et fit fondre le tout au-dessus de l'âtre. L'alchimiste remit la fiole dans sa poche, et Phoenix esquissa une grimace de dépit : il aurait bien aimé disposer de quelques grains pour les faire analyser par Politeia.

Lorsque le plomb fut suffisamment liquéfié, Flamel y jeta le morceau de cire contenant la poudre.

— Il faut attendre une dizaine de minutes, maintenant ! recommanda l'alchimiste. Il ne faut ni remuer ni rien ajouter. Il n'est besoin que d'un seul autre ingrédient : la patience !

Tant que le temps ne fut pas écoulé, Phoenix et surtout Cramoisy ne quittèrent pas des yeux la fameuse louche où bouillonnait la matière en fusion. Puis, lorsque le moment fut venu, Flamel versa le liquide dans un moule de terre cuite. La préparation durcit rapidement, et l'écrivain retourna le lingot sur un plat déposé sur la table. Un petit lingot d'or venait d'apparaître.

Fasciné, le sire de Cramoisy se rapprocha de la table, ramassa l'or encore chaud et l'examina sous toutes les coutures. À première vue, le métal précieux n'avait aucun défaut.

— C'est un miracle! Incroyable! s'écria-t-il, rouge d'excitation.

Flamel haussa les épaules, comme si ce qu'il avait réalisé là n'avait aucune importance. À son tour, Phoenix tourna le lingot entre ses doigts, puis profitant de ce que ni Cramoisy ni Flamel ne faisaient attention à lui, il en gratta légèrement la surface de manière à garder un peu d'or sous l'ongle de son index. «J'espère que ce sera suffisant pour que Politeia l'analyse!» se dit-il.

En se retournant, il vit que Flamel remettait la petite fiole de poudre dorée à Cramoisy.

— Cher ami, permettez-moi de vous faire ce cadeau... disait le libraire. Étant vous-même chercheur, vous savez que je ne peux vous révéler la recette de la Pierre Philosophale, puisque chaque Adepte doit la trouver par lui-même, sans quoi elle ne fonctionnerait pas.

— Oui, je sais que seules de longues études et l'expérimentation personnelle peuvent mener à la découverte des secrets de l'alchimie, confirma Cramoisy, fébrile de tenir enfin un peu de cette poudre miraculeuse. Et encore, rien n'est gagné d'avance. Cela fait plus de dix ans que je m'y emploie et je ne trouve rien.

— Certains, comme ce fut mon cas, mettront vingt ans à la trouver, expliqua encore Flamel. Et d'autres, malgré toute leur bonne volonté et leur travail incessant, n'y parviendront jamais. La vérité alchimique ne se révèle pas à tous, et personne ne peut expliquer pourquoi. Toutefois, rien ne m'empêche de vous faire présent d'un peu de la Pierre Philosophale que je possède.

Le visage du chambellan s'éclaira d'une lumière de joie et de fierté, un profond sentiment de puissance l'envahit. Il se dit qu'avec cette poudre sa famille serait à l'abri des aléas de la vie pendant plusieurs générations. Leurs finances ne dépendraient plus jamais de la bonne volonté des rois.

Le maître des requêtes se confondit en remerciements, glissa la petite bouteille dans la sacoche qui pendait à sa taille sous son manteau, puis sortit précipitamment de la pièce secrète de Flamel, comme s'il avait peur que l'écrivain revienne sur sa décision et lui enlève ce précieux trésor.

Restés en tête-à-tête, Flamel et Phoenix se mirent à discuter des autres bienfaits que la fameuse Pierre Philosophale était censée apporter à son possesseur.

— La transmutation des métaux n'est pas le but principal de ma quête, reconnut Flamel en glissant le lingot d'or dans sa bourse. La médecine universelle est beaucoup plus importante…

— Vous voulez parler de l'élixir de longue vie ? s'étonna Phoenix.

— Bien entendu. Quand je procède à une projection de la Pierre, c'est simplement pour m'assurer de sa pureté, de sa qualité…

Flamel ramassa le plat sur lequel il avait retourné l'or. Phoenix y vit un liquide blanchâtre que l'alchimiste versa avec précaution dans un matras* de verre qu'il déposa sur la flamme basse d'un petit réchaud. Flamel donna à ce dispositif qui ressemblait à un alambic le nom d'*athanor*. Après quelques secondes, le liquide entra en ébullition…

— Il faut attendre plusieurs jours avant que… Mais non, je vous expliquerai cela plus tard. Retournons dans la cuisine, nous reviendrons dans la soirée pour vérifier la flamme. Elle ne doit jamais s'éteindre, jusqu'à ce que l'élixir soit prêt.

Pernelle éteignit les lanternes, et tous trois repassèrent la porte secrète pour réintégrer la maison de Flamel.

— Depuis la fièvre qui m'a consumée sur le chemin du retour de Compostelle, je n'ai plus jamais connu la maladie, expliqua Flamel. Et comme vous le voyez, Pernelle, malgré ses soixante ans passés, paraît beaucoup plus jeune.

Phoenix hochait la tête en silence. Flamel était en train de lui raconter qu'il avait percé le secret de la longévité à laquelle les hommes aspiraient depuis la nuit des temps.

— Le liquide alchimique élimine toutes les toxines et les microbes de l'organisme humain. Ceux qui perdent leurs cheveux les voient repousser, ceux qui ont de mauvaises dents retrouvent la dentition de leur jeunesse. Vigueur et santé reviennent après quelques absorptions. Il faut en prendre deux fois par an, pas plus. Et le plus beau de l'histoire, c'est que vous n'avez plus besoin de vous nourrir pour vivre…

— Mais je vous ai vu manger, vous et Pernelle! fit remarquer Phoenix, légèrement ironique.

— Il faut bien faire comme tout le monde, ami. Si je ne mangeais jamais, on se demanderait comment je peux survivre et on me torturerait pour s'emparer de mon secret. Et puis, j'avoue que parfois j'aime manger par plaisir, pour le simple goût des bonnes choses...

— C'est pour cela qu'une fois par semaine je prépare quelques bonnes recettes, intervint Pernelle en souriant à pleines dents, car elle était soulagée d'avoir vu le maître des requêtes repartir sans leur causer de problèmes.

Phoenix était abasourdi. Il se demanda même si les Flamel ne se moquaient pas de lui.

«Leurs regards sont si francs, leurs visages si sincères, je ne peux croire qu'ils essaient de me jouer un tour, songea-t-il. En fait, si ce qu'ils me disent est vrai, je comprends mieux pourquoi Flamel a donné une fiole de poudre dorée à Cramoisy. Ils n'aspirent qu'à la paix et à l'harmonie, et surtout à éloigner les importuns. »

— Mais pourquoi me confier votre secret, à moi qui ne suis qu'un étranger? demanda Phoenix.

— Parce que je sens que, vous aussi, vous avez accès à la Connaissance. Je sens que vos facultés intellectuelles et spirituelles sont plus développées que celles du commun des mortels, avança Flamel, et sur ce point je ne me suis jamais trompé.

Pernelle en était moins convaincue, mais elle avait résolu de ne plus dire un mot contre ce Phoenix tant que ses actes et ses paroles ne leur porteraient pas préjudice.

« Hum ! Si le pauvre homme savait que je dois surtout mes connaissances à Politeia, au SENR et à mon époque… » se dit Phoenix.

— Les Fils de la Doctrine ne doivent pas garder leur savoir pour eux seuls, continua Flamel. Ils doivent transmettre leur art à quelques rares initiés. C'est à l'Adepte de choisir son élève…

— Mais vous risquez de vous tromper et de transmettre votre science à quelqu'un qui ne la mérite pas ! s'écria Phoenix, désarçonné.

— Cela peut arriver. Mais dans ce cas, l'élève consacre ses efforts à fabriquer de l'or, car seul l'appât du gain l'intéresse, il ne devient ainsi qu'un Souffleur et finit même par oublier comment réaliser l'élixir de vie puisque son esprit est entièrement voué à l'or.

— C'est un peu ce que vous avez fait avec le sire de Cramoisy… Vous l'avez ébloui par l'or pour le détourner du véritable secret. Fort du pouvoir de changer le plomb en or, le chambellan ne reviendra plus vous importuner, et il ne risquera pas de découvrir votre véritable secret : la liqueur de vie.

— Je salue votre sens de la déduction, fit Flamel avec un sourire. Je savais que vous aviez plus d'intelligence que cet écuyer du roi…

— En quelque sorte, vous avez acheté le silence du sire de Cramoisy. S'il veut profiter de son or, il a tout intérêt à ne jamais en parler à qui que ce soit, et surtout pas à Charles VI.

— Excellent raisonnement ! conclut Flamel.

* * *

Le soir même, seul dans sa chambrette sous les toits, Phoenix put enfin faire appel à la science et aux connaissances du troisième millénaire, et ce, grâce à Politeia.

— Analyse cet or et dis-moi d'où il vient, demanda Phoenix en se curant les ongles sur sa table de chevet et en déposant les particules sur son médaillon.

Quelques secondes plus tard, Politeia apparut sous forme d'un hologramme verdâtre.

— Cet or est étrange, je ne trouve pas trace de la bactérie qui aurait pu le fabriquer. En 2006, des scientifiques ont démontré que la *Ralstonia metallidurans* a le pouvoir de transformer la poussière en or, mais je n'en trouve aucune trace ici. Cet or est le plus pur que je n'ai jamais eu à examiner. Je vais devoir faire des analyses complémentaires.

— Et dans les pièces que le grand-père de Faustine a achetées?

— Oui, là, aucun doute. En analysant la bactérie *Ralstonia metallidurans* que j'y ai trouvée, je peux même te dire que l'or de ces écus vient d'une rivière aurifère des Pyrénées…

— Des Pyrénées? Mais Flamel a justement dû franchir les Pyrénées pour se rendre à Saint-Jacques-de-Compostelle. Serait-il possible qu'il en ait ramené des paillettes d'or?

— Peut-être. L'une des voies principales du pèlerinage passe par Combo-les-Bains, et c'est justement dans une rivière de cette vallée que les orpailleurs du coin cherchent de l'or, même encore à notre époque.

— Grrr! ragea-t-il. Flamel se serait-il moqué de moi tout autant que de Cramoisy lorsqu'il a fait une démonstration de transmutation? Depuis que je suis arrivé ici, je le considère comme un alchimiste, mais peut-être a-t-il voulu me donner une leçon en me faisant croire ce que j'étais disposé à croire ? Et, bien entendu, dans quelques jours, lorsqu'il me montrera son élixir de vie, il me révélera la supercherie… et là, j'aurai vraiment l'air d'un parfait imbécile !

— Calme-toi, Phoenix, et réfléchis, dit l'hologramme. Je ne vois pas quel intérêt il aurait à te faire passer pour un idiot. Il n'aurait pas inventé une telle histoire simplement pour rire de toi pendant cinq minutes. C'est incohérent, totalement inutile, et ça ne cadre pas avec le personnage.

— Oui, tu as raison ! Je m'emballe… As-tu autre chose à me dire sur cet or ?

— Laisse-moi procéder à d'autres analyses. Je vais travailler toute la nuit. À ton réveil, je pourrai t'en dire plus sur sa composition exacte.

— Parfait. Bon travail, Politeia !

— Bonne nuit, Phoenix.

CHAPITRE 7

Phoenix se réveilla en sursaut alors que le soleil peinait à se lever. On tambourinait à la porte du rez-de-chaussée. Il enfila rapidement chausses et bliaut et dégringola les escaliers à la suite de Flamel qui, lui, était toujours en longue chemise de nuit, son bonnet de travers sur la tête.

— Que se passe-t-il? demanda Phoenix, tandis que les coups redoublaient d'ardeur contre l'huis.

— Flamel, Flamel! criait une voix que le jeune enquêteur n'avait jamais entendue.

— C'est Yichaï Attar, le marchand de parfum. Qu'est-ce qui lui prend? fit l'écrivain en soulevant la lourde barre de fer qui condamnait sa porte.

À peine l'huis débarré, le boutiquier juif se précipita dans la demeure de Flamel; il était énervé et ses propos étaient décousus.

— Ça recommence! Ça recommence! ne cessait-il de dire, en gesticulant, les yeux remplis de larmes.

— Calmez-vous, monsieur! intervint Phoenix en s'emparant d'un pichet sur la table pour lui servir un peu de vin coupé d'eau.

— Me calmer, me calmer, mais vous ne comprenez pas que le malheur nous frappe de nouveau ! s'emporta Attar en se tordant les mains.

Toutefois, devant l'insistance de Phoenix, il finit par accepter de boire une gorgée du verre que le jeune homme lui tendait et il se laissa tomber sur le banc de bois devant la table. Il avait les épaules voûtées, on aurait pu croire qu'il portait le poids du monde sur son dos.

— Vas-tu enfin nous dire ce qui se passe ? le pressa Flamel en se glissant sur le banc qui faisait face au vieux Juif à la longue chevelure blanche décoiffée.

— Nous allons de nouveau être expulsés de Paris et même de France, sans exception ni privilège, et mis à l'amende. Tous nos biens vont être saisis, encore une fois ! se plaignit le parfumeur.

— Qui, nous ? l'interrogea Phoenix, qui avait du mal à suivre les propos haletants du bonhomme.

— Mais les Juifs, pardi, les Juifs !

— Encore ! s'exclama Flamel. Mais ça fera trois fois depuis le début de ce siècle… Qu'est-ce qu'on vous reproche cette fois ?

— Tu ne le croiras pas… Après avoir été accusés d'avoir propagé la peste noire, d'avoir empoisonné des puits, voilà que la rumeur nous reproche les accès de folie du roi !

— Comment as-tu appris que vous alliez être expulsés ? Dans quels délais ?

— Très tôt ce matin, à la synagogue, j'ai parlé au rabbin. Dans certaines villes, il y a eu des massacres de Juifs ces derniers jours. Et il a appris par des proches du roi que Charles VI allait bientôt décréter notre expulsion, et même

76

que nous devrions avoir quitté le royaume de France avant la fin de l'année. Le Trésor propose de racheter nos biens, mais tu sais comme moi que nous ne verrons jamais la couleur de cet argent, qui finira dans les coffres de la Couronne.

Phoenix grimaça. Il se souvenait d'avoir lu dans sa documentation sur le xive siècle que, effectivement, toutes les personnes de confession juive devraient quitter le pays en laissant tous leurs biens derrière elles.

— Où comptez-vous aller ? demanda l'enquêteur à Yichaï Attar, qui machinalement tripotait une pièce de tissu jaune cousue sur son manteau sombre.

— À Venise, j'ai de la famille là-bas.

— Pourquoi as-tu remis cette rouelle* sur tes vêtements ? le questionna Flamel. Je croyais que le décret papal qui vous obligeait à la porter était suspendu depuis plus de cent ans.

— Le roi Charles vient de la remettre à l'honneur...

— Que puis-je faire pour toi ? soupira Flamel, triste à l'idée de perdre un ami.

— Eh bien, voilà ! Comme nous devons quitter le royaume dans les plus brefs délais, le rabbin est d'avis que nous devrions te confier nos biens avant que le roi ne mette la main dessus. Tu sauras faire fructifier notre or jusqu'à ce que nous soyons autorisés à revenir en France.

— Pourquoi moi ? s'étonna Flamel.

— Parce que tu es un honnête homme, que tu ne nous voleras pas et que tu sauras faire de judicieux placements. Le rabbin dit que tu devrais acheter plusieurs immeubles de rapport avec notre or. Cela permettra de faire fructifier nos biens grâce aux loyers que tu percevras. Et aussi parce que tu l'as déjà fait, en toute discrétion, pour plusieurs d'entre nous, puisque nous, les Juifs, n'avons pas le droit d'être propriétaires fonciers.

— Mais si vous ne reveniez pas ? s'inquiéta Pernelle, qui avait assisté à une partie de la conversation depuis la dernière marche de l'escalier.

Yichaï Attar pivota sur le banc pour lui faire face :

— Eh bien, vous serez riches, car l'argent sera pour vous. Vous en disposerez comme bon vous semblera.

« Pauvre homme ! Je ne peux pas lui dire que les Juifs ne reviendront pas avant de fort nombreuses années. Même dans quatre cents ans, ils ne seront pas plus de cinq cents à Paris. Je comprends mieux maintenant d'où vient une partie de la fortune de Nicolas », songea Phoenix.

Les époux Flamel se concertèrent du regard, puis l'écrivain regarda étrangement Phoenix dans les yeux, comme si sa présence l'empêchait de prendre une décision.

— Vous devez accepter, maître Flamel, déclara l'enquêteur. Vous avez déclaré que l'or vous permet de faire le bien autour de vous. Songez à tous les gens que vous pourrez loger convenablement avec cet argent. Et puis, vous n'en serez que le dépositaire, vous le rendrez à ses propriétaires en temps voulu…

L'écrivain-juré grimaça. Visiblement, il aurait préféré rencontrer Attar sans témoin. Ce n'était pas la première fois qu'il aidait ses compatriotes juifs, mais il préférait le faire en toute discrétion.

— D'accord, laissa-t-il finalement tomber, comme si cette décision lui coûtait. Que ceux qui ont de l'or me l'amènent. Avec cet argent, j'achèterai des maisons et des domaines pour que vos biens ne tombent pas… dans les goussets du roi.

Il se mordit la lèvre supérieure, en jetant un coup d'œil vers Phoenix qui lui sourit. Attar pressa chaleureusement les mains de son ami entre les siennes et se glissa hors de la maison de Flamel, en prenant garde qu'on ne le vît pas.

Nicolas Flamel et Pernelle regagnèrent leur chambre pour troquer leurs vêtements de nuit pour des tenues plus appropriées. Phoenix fit de même, mais il avait une autre intention en tête. Il voulait prendre connaissance des conclusions de Politeia sur les quelques paillettes d'or qu'il lui avait soumises la veille.

— Entrée en fonction, Politeia.

L'hologramme lui apparut aussitôt.

— J'attends ton rapport.

— La transmutation des métaux est théoriquement possible, annonça Politeia. En 1941, trois physiciens américains ont obtenu des isotopes d'or radioactif en bombardant du mercure avec des neutrons rapides. Ils se sont aussi aperçus qu'ils pouvaient provoquer la transmutation du mercure en platine par réaction, et en thallium par bombardement protonique ou deutéronique.

— Épargne-moi les détails compliqués, Politeia… Donc, créer de l'or serait possible?

— Au XXe siècle toujours, un chercheur du CNRS en France, dont on n'a pas conservé le nom dans nos bases de données, était d'avis que l'isotope 189 du mercure pouvait se désintégrer en or.

— Politeia, plus simple!

— Chaque type d'atome peut contenir un nombre plus ou moins grand de protons et de neutrons, continua l'hologramme, sans tenir compte du rappel à l'ordre de

Phoenix. C'est ce que l'on appelle un isotope. Le noyau de l'atome de l'or comporte soixante-dix-neuf protons, et celui de l'atome du plomb, quatre-vingt-deux. En théorie, il serait simple de transformer du plomb en or. Il suffirait de bombarder de particules les atomes de plomb pour leur arracher les trois protons en trop.

— Tu sembles suggérer que l'expérience a déjà été tentée, intervint Phoenix.

— Exactement. L'une des solutions est de briser un noyau de plomb en une multitude d'atomes. Le hasard devrait pouvoir fournir quelques noyaux dotés du nombre de protons requis pour donner de l'or. Mais si l'expérience permet d'obtenir des noyaux avec soixante-dix-neuf protons, comment faire avec les neutrons? Dans les années 1970, le Conseil européen pour la recherche nucléaire, mieux connu sous l'acronyme CERN, qui était le plus grand laboratoire de physique des particules au monde à l'époque, a tenté l'expérience. Mais on s'est vite rendu compte que les nouveaux noyaux obtenus n'étaient pas stables et se désintégraient rapidement. L'or était de mauvaise qualité, friable, et surtout le procédé coûtait des millions de dollars pour peu de résultats.

— Peste! Même si avec des moyens aussi importants les physiciens n'ont rien obtenu de bon au xxe siècle, comment un alchimiste, avec son vieil athanor, quelques matras et un bon feu de bois aurait-il pu y parvenir en plein Moyen Âge? Décidément, je crois que maître Flamel a voulu détourner mon attention de sa véritable source de richesse : l'or des Juifs. En fait, depuis plusieurs années, il aide les Juifs, qui ne peuvent légalement posséder de biens fonciers, en achetant ces biens à leur place. Ils doivent lui verser de substantielles commissions pour ce service.

— Peut-être te prend-il pour un espion du roi? suggéra Politeia.

— Peut-être. Mais ce dont je suis sûr, c'est qu'il doit être bien en peine en ce moment, car j'ai assisté à sa rencontre avec Yichaï Attar, le parfumeur, et je l'ai même vu acheter le sire de Cramoisy. Ce ne sera pas facile de le rassurer.

* * *

Phoenix déambulait dans le quartier Saint-Jacques-la-Boucherie, évitant toutefois le quartier des bouchers où moutons, porcs et bœufs pendaient à des crocs, comme des suppliciés à un gibet. Ces cadavres offraient une vision macabre qu'il ne pouvait supporter. Le but de sa promenade était le pont aux Changeurs. Il voulait se procurer quelques pièces d'or que Politeia pourrait comparer ensuite avec celles acquises par le grand-père de Faustine, ainsi qu'avec les paillettes de Flamel. Car, pour l'instant, rien ne lui permettait de dire que les écus achetés chez Christie's étaient faux, et encore moins qu'ils étaient le résultat de manipulations quelconques.

— Alors, étranger, as-tu besoin de bon argent en pièces sonnantes et trébuchantes du pays de France? l'apostropha un changeur.

— Es-tu bien sûr que ta monnaie est sonnante et trébuchante? répliqua Phoenix du tac au tac. Peux-tu me garantir qu'elle ne contient aucun métal vil?

81

— Mon argent est tout ce qu'il y a de plus légal, l'assura le vendeur. Tu n'as qu'à le faire tinter, tu verras comme il sonne bien. Et crois-moi, il ne craint pas l'épreuve du trébuchet*. Je le pèserai devant toi, tu verras qu'il fait son pesant d'or et d'argent.

Phoenix sourit en tendant au changeur des ducats vénitiens que le SENR avait pris soin de lui fournir.

— Il me semble t'avoir vu hier, à la parade du roi. Tu travailles avec Nicolas Flamel? demanda le changeur, mine de rien, tout en faisant tinter à son oreille les pièces d'or florentines pour s'assurer de leur qualité.

— Je suis en apprentissage chez lui. Il me montre le métier de copiste, confirma Phoenix, sans prendre garde à deux larrons qui s'étaient arrêtés derrière lui et qui écoutaient la conversation.

— J'espère que ton argent n'est pas monnaie de singe! continua le changeur. Puis, sur le ton de la confidence, il ajouta : Les rumeurs vont bon train. On dit que Flamel a toutes les qualités du faux-monnayeur. Dis-lui de redoubler de prudence! On murmure aussi que les oncles du roi vont revenir au pouvoir à cause de sa maladie, et tu sais combien ils aiment l'argent. Flamel risque d'avoir de sérieux ennuis…

L'homme jeta un regard autour de lui et d'un signe de tête il désigna un groupe de gardes du Louvre qui patrouillaient le pont, s'attardant aux étals des changeurs et des orfèvres pour vérifier que les lois du royaume en matière de frappe monétaire étaient bien appliquées.

— On est vérifié et revérifié dix fois par jour, alors si tu veux passer de l'or alchimique, mon garçon, je te conseille d'aller voir ailleurs.

— Et ailleurs, c'est…? demanda Phoenix qui avait bien senti que le bonhomme en savait plus que ce qu'il ne voulait dire.

— Hé… pour qui me prends-tu? se rebella le changeur, sans pour autant élever la voix, comme s'il craignait d'attirer l'attention des soldats.

Au ton employé, l'enquêteur comprit que le changeur pourrait lui fournir de précieuses informations. Il lui faudrait se montrer patient et gagner sa confiance, ce qui pourrait nécessiter plusieurs visites au pont aux Changeurs.

Phoenix était à la recherche de faux-monnayeurs. Il était convaincu que, petit à petit, l'homme dévoilerait un peu plus d'informations et le conduirait peut-être vers des gens qui lui en apprendraient davantage sur l'art de la fausse monnaie au Moyen Âge. En parlant à des experts en faux et usage de faux, il parviendrait peut-être à percer le secret des pièces d'or achetées par le grand-père de Faustine.

Phoenix empocha les écus de France que le changeur lui remit et le salua.

— Je reviendrai bientôt. Je m'appelle Phoenix, et toi?

— Thomas! Thomas le Long…

Le voyageur du Temps s'éloigna en direction de l'île de la Cité sans se rendre compte que, sur un signe discret de Thomas le Long, les deux larrons qui avaient écouté sa conversation un peu plus tôt lui avaient emboîté le pas. Phoenix s'en allait livrer à Renaud de Fontaines, chanoine de Notre-Dame, deux magnifiques missels enluminés par Flamel.

CHAPITRE 8

Trois heures plus tard, de retour chez maître Flamel, Phoenix convoqua Politeia pour lui faire analyser par spectrométrie de masse les pièces d'or remises par Thomas le Long. Ce procédé permettait de séparer et d'identifier des atomes, en analysant leur masse et leur charge électrique.

Il s'était lui-même assuré visuellement d'y trouver les points secrets désignant les ateliers de frappe. Quelques secondes après le début de l'analyse, Politeia lui confirma que les pièces étaient conformes à la monnaie de cette époque. Elle avait même détecté des bactéries *Ralstonia metallidurans* du type de celles qui étaient répertoriées dans la région du Limousin.

— Les pièces sont donc bonnes! s'exclama Phoenix, dérouté. C'est étrange. Ce Thomas le Long me fait un drôle d'effet…

— Il se méfie, c'est normal! répliqua Politeia. Il ne va quand même pas te refiler de la fausse monnaie à votre première rencontre.

— Oui… Mais qui lui garantit que je vais retourner le voir pour effectuer le change?

— Rien. Il court le risque, c'est tout! Si tu ne reviens pas, il aura effectué une transaction monétaire normale... Si tu reviens, il essaiera de te refiler des fausses pièces parmi des vraies.

— Tu as sans doute raison. Je vais le garder à l'œil. Dis-moi, Politeia, ne sommes-nous pas le 28 janvier 1393 aujourd'hui? Il va se passer un événement très important ce soir, et je veux absolument y assister. Il faut que je sois invité au bal que le roi donne à l'Hostel Sainct-Pôl, dit Phoenix en tournant en rond dans sa chambrette. Comment m'y prendre?

— Hum! Pas facile, répondit l'hologramme. C'est un bal pour le mariage du Chevalier de Vermandois avec la jolie Catherine Fastavrin, la veuve du sire de Hainceville, une des dames d'honneur de la reine Isabeau. Ce sera un charivari*.

— Oui, je sais tout cela, et même ce qui va s'y passer, c'est pour ça que je veux absolument y être! s'énerva le détective.

— La meilleure solution est de te faire engager à l'hôtel. Les cuisiniers ou même le chambellan du roi vont avoir besoin de personnel supplémentaire.

— Merci du conseil! Je vais donc devoir me faire larbin, moi qui envisageais d'occuper une situation plus avantageuse. C'est tout ce que tu as trouvé! lança le détective, mi-fâché mi-ironique.

— Le sire de Cramoisy te connaît, il pourra sans doute t'aider. Surtout que tu as un moyen de pression sur lui puisque tu l'as vu empocher la fiole de poussière dorée de Flamel.

— Oui. Tu as raison. À moi de faire jouer mes relations.

* * *

Peu avant le couvre-feu qui plongerait sous peu Paris dans la noirceur, Phoenix demanda à Politeia de lui indiquer le chemin le plus rapide et le plus sûr pour se rendre à l'hôtel royal, situé juste à l'intérieur des murs de la ville, près de la porte Saint-Antoine.

Il lui demanda aussi de surveiller ses arrières, car il ne tenait pas à finir un couteau entre les omoplates, la spécialité des coupe-jarrets de la cité. Il prit soin d'activer son sonotone, un amplificateur de sons par lequel son ordinateur pourrait lui communiquer en temps réel tout ce qui se passait dans son dos ou aux alentours, sans craindre les interceptions d'oreilles indiscrètes. Son coquillage lui servait d'oreillette.

Il cheminait rue de la Verrerie, lorsque la voix métallique de Politeia lui lança un avertissement :

— Je détecte deux hommes à une centaine de pas derrière toi. Ils ont surgi au moment où tu traversais l'Archet Saint-Merri, méfie-toi !

— Je vais les laisser me dépasser, murmura Phoenix, en se glissant sous un porche pour se soustraire à la vue de ses suiveurs.

— Ils t'ont perdu de vue, ils se dépêchent, continua Politeia. Ils en ont vraiment après toi. On voit bien que ce ne sont pas des invités qui se hâtent vers l'Hostel Sainct-Pôl, on dirait plutôt des soldats qui cherchent à en découdre.

87

Les deux hommes passèrent en courant devant l'endroit où se cachait Phoenix, mais sans le voir.

— Leur allure me dit quelque chose. Où les ai-je déjà vus ? fit le détective.

— Je consulte ma banque de données... Non, rien ! Aucune trace, annonça l'ordinateur après quelques secondes de recherche. Tu ne m'as pas laissé souvent en fonction depuis notre arrivée, je n'ai pas pu archiver tous les visages que tu as croisés.

— Bien noté ! Je te maintiendrai en alerte en permanence dorénavant... sauf quand je dors, lança Phoenix avec une note d'amusement dans la voix. Où sont-ils maintenant ?

— Devant ! Ils marchent plus lentement. Ils te cherchent. Ils ont sorti leur couteau.

— Trace-moi un autre itinéraire. Il faut les semer !

— Au bout de la rue de la Verrerie, prends sur ta droite par la rue de la Tissanderie. Je t'indiquerai le chemin au fur et à mesure.

Le nouvel itinéraire se révéla plus long, mais au moins Phoenix eut la satisfaction d'avoir semé les deux tristes sires qui assurément n'avaient pas de bonnes intentions.

* * *

Lorsqu'il arriva dans les jardins de l'Hostel Sainct-Pôl, il constata que la fête battait son plein depuis le matin et qu'elle était grandiose. De nombreux hauts personnages de la noblesse, des dames et demoiselles vêtues de somptueuses toilettes et des hommes chamarrés de brocard et de velours entraient et sortaient de la résidence royale. Les chaises à porteurs se succédaient dans la cour.

Il se hâta de trouver le sire de Cramoisy pour lui proposer ses services.

— Ah, vous tombez bien, jeune homme! lança le chambellan, sans le reconnaître. Nous avons besoin de plus de valets pour éclairer la salle à manger et la salle de bal. Suivez-moi!

Il fit entrer Phoenix dans une pièce où une centaine de valets disposés de mètre en mètre brandissaient déjà des torches. Phoenix aperçut d'autres serviteurs et des cuisiniers qui défilaient à la queue leu leu, chargés de victuailles en tous genres pour les convives : veaux et porcs entiers, gibiers à plumes et à poil, en civet ou grillés, poissons de mer et de rivière, fruits et légumes divers. Il y en avait tant que Phoenix se demanda comment la cour allait pouvoir ingurgiter tout cela.

Deux heures passèrent. Phoenix n'en pouvait plus de son nouveau rôle. Il devait demeurer debout, la torche à la main, sans bouger. Relayés toutes les deux heures, les valets en profitaient pour aller se soulager dehors ou pour dérober des aliments dans les cuisines.

Après son heure de repos, le détective reprit la torche que son prédécesseur lui tendait. Le repas était fini et les convives convergeaient vers la salle de bal. Les valets se répartirent sur le pourtour de la pièce pour l'éclairer. Les ménestrels se mirent à jouer. Trompettes, flûtes, chalumeaux, citoles*, vièles, luths : tous les instruments étaient représentés et se mêlaient dans une joyeuse cacophonie.

— Place au charivari! lança tout à coup un écuyer d'honneur du roi, du nom d'Hugonin de Guisay.

Le jeune homme entraîna le souverain et cinq de ses compagnons dans une pièce voisine où il avait pris soin de déposer six chemises de lin enduites de poix pour faire tenir de longues plumes et des poils d'animaux ébouriffés.

— Nous serons de vrais hommes sauvages ! s'exclama Yvain de Foix en glissant des pelures de bananes autour de ses oreilles, tandis que Milon de Joigny ceignait au roi un tutu en feuilles de palmier par-dessus ses chausses.

— Les masques, vite, mettons les masques ! s'exclama Ogier de Nantouillet, le premier écuyer de corps de Charles VI, en tendant au monarque un déguisement de cuir d'apparence simiesque.

— Il faut nous enchaîner les uns aux autres, s'amusa le roi. Un sauvage est toujours enchaîné.

Aymard de Poitiers se chargea de passer les chaînes à tout le monde, et la joyeuse troupe s'élança dans la salle de bal en dansant une sarrasine.

— Sire, prenons garde aux torches ! s'alarma Yvain de Foix. Si le feu nous touche, nous nous embraserons et nous serons perdus. Ordonnez que nulle torche ne nous approche…

— Vous êtes bien avisé, messire Yvain, acquiesça le roi. Que nul ne nous suive, lança le souverain à l'intention d'un huissier d'armes, qui instantanément propagea l'ordre dans la salle de bal.

Aussitôt, tous les valets porteurs de torche se retirèrent au fond de la salle, laissant le plancher aux dames et aux chevaliers qui dansaient. Phoenix était inquiet et ne cessait de surveiller la porte donnant sur les jardins.

Survint alors Louis d'Orléans, le frère du roi, en compagnie de quatre chevaliers et de six porteurs de torche.

Le jeune duc entra dans la danse, mais à peine avait-il effectué quelques pas qu'il sursauta à la vue des six hommes sauvages enchaînés qui faisaient leur apparition dans la salle de bal. Il n'était pas au courant de la mascarade et se demanda qui pouvait bien se cacher sous ses masques loufoques.

Le roi, venant en premier, était méconnaissable sous son déguisement, et c'est lui qui entraînait les autres dans la danse. Leur apparition dans la pièce fit grand bruit parmi les danseurs, suscitant à la fois l'étonnement, l'amusement et la crainte chez les gentes dames. Puis le roi, toujours traînant ses amis, se précipita vers quelques demoiselles pour les amuser à grands coups de gestes grotesques. Il passa devant la reine Isabeau sans la regarder et se dirigea vers sa tante, la seconde épouse de son oncle Jean, la jeune duchesse de Berry, qui n'avait pas quinze ans.

— Ah, qui êtes-vous donc? s'amusa la jeune dame, qui se piqua au jeu, car elle n'avait pas l'occasion de rire tous les jours avec son vieux mari de cinquante-trois ans.

— Non, non, vous ne le saurez pas! plaisanta le roi en continuant à la taquiner.

La duchesse s'empara de son bras et s'y cramponna fermement.

— Vous ne m'échapperez pas, tant que je ne saurai pas votre nom, insista Jeanne de Berry.

— Moi aussi, je veux savoir de qui il s'agit, s'écria brusquement Louis d'Orléans en entendant ces propos.

Et avant que quiconque ait pu protester, le jeune prince arracha une torche des mains d'un valet et se précipita vers son frère. Il s'approcha, mais ne put rien distinguer sous le masque simiesque. Il s'avança un peu plus. Et la catastrophe redoutée survint. Les plumes s'enflammèrent, puis, à cause de la poix, la chemise de lin du roi s'embrasa.

Aymard de Poitiers se précipita vers le monarque pour tenter d'éteindre les flammes, ayant oublié qu'il était lui-même revêtu du même déguisement. Il s'embrasa à son tour et propagea le feu à ses quatre compagnons de chaîne. Ogier de Nantouillet réussit, en se débattant, à se défaire de ses entraves. L'écuyer se précipita tête première dans un baquet d'eau de vaisselle servant à rincer les hanaps et les assiettes.

— Sauvez le roi, sauvez le roi! furent les derniers cris d'Yvain de Foix.

«Le roi, personne ne s'occupe du roi! songea Phoenix, le cœur battant la chamade. Que font-ils donc?»

Même s'il savait que le roi serait sauvé, il ne pensait pas que la tragédie serait aussi grave et que tous resteraient figés de stupeur sans intervenir. Tout s'était passé si vite. Les cris, les hurlements, l'odeur de chairs brûlées, toute la scène lui était insoutenable. Alors, au mépris de toutes les consignes qu'il avait reçues lorsqu'il avait été engagé par le SENR et qui stipulaient qu'il ne devait pas intervenir sur le cours de l'Histoire, Phoenix laissa tomber sa torche sur le sol et se précipita vers le monarque qui flambait. Il le bouscula rudement et le projeta dans les bras de la duchesse de Berry qui, avec une présence d'esprit peu commune, enveloppa son neveu dans son grand manteau.

— Sire, roulez-vous sur le sol, vite! s'exclama Phoenix en le tirant vers le dallage.

Avec vigueur, la duchesse se jeta sur le monarque et le projeta par terre. Charles VI roula une ou deux fois sur lui-même, aidé par sa jeune tante. Il était sauvé. Phoenix poussa un profond soupir de soulagement. Il se dit qu'il n'avait pas modifié le cours de l'Histoire, il lui avait juste donné un petit coup de pouce.

* * *

Minuit sonna à l'église Saint-Paul. Aymard de Poitiers et Hugonin de Guisay étaient morts carbonisés. Yvain de Foix et Milon de Joigny furent transportés dans leur hôtel particulier et moururent deux jours plus tard, dans des souffrances sans nom. Le roi fut ramené rapidement dans une chambre de l'hôtel royal.

Sachant le souverain en sûreté, Phoenix allait se retirer lorsque le chambellan Pierre de Cramoisy l'intercepta.

— Suivez-moi, monseigneur, le Roi veut vous remercier !

Sans lui laisser le temps de protester, le Hutin entraîna Phoenix dans le couloir menant à la chambre royale.

* * *

Lorsque Jean de Berry et Philippe de Bourgogne, les oncles du roi, apprirent la nouvelle au petit matin, ils se réjouirent de n'avoir pas été présents ce soir-là au bal, même s'ils avaient assisté à toutes les réjouissances de la noce, car le récit qu'on leur fit de l'accident faisait froid dans le dos.

— Quel terrible événement, commenta Flamel, lorsque, à son retour, Phoenix lui narra ce qui s'était passé à l'Hostel Sainct-Pôl.

— Le roi ne s'en remettra pas, lui confia l'enquêteur. Il était dans un état de panique terrible quand j'ai quitté la résidence royale. À mon avis, Jean de Berry va reprendre le pouvoir en sous-main...

— Jean de Berry! s'exclama Flamel. C'est probablement la plus mauvaise nouvelle de la journée pour les Français. Il est assoiffé de pouvoir et de richesse.

— Je croyais qu'il était votre mécène, s'étonna Phoenix en l'entendant prononcer ces paroles.

— Il me donne beaucoup de travail, c'est vrai. Il adore les livres, en achète énormément et en commande des copies tout autant, mais avant tout, il aime l'or... soupira Flamel.

«Hum! Oui, je vois où Flamel veut en venir. Le duc de Berry risque de lui être plus nuisible que Pierre de Cramoisy. L'écrivain sait que les rumeurs vont bon train à Paris. De plus en plus, on murmure sur son compte et sa richesse... Ça risque d'attirer les convoitises.»

* * *

Le soir même, juste avant le couvre-feu, un envoyé du sire de Cramoisy vint frapper à la porte de Flamel.

— J'ai ordre de conduire un certain... euh... Phoenix, hésita le messager, à la Sainte-Chapelle.

Pernelle et Nicolas dévisagèrent leur invité, qui lui-même ne put leur dire pourquoi il était convoqué dans ce haut lieu de l'Église.

Les soupçons que Pernelle avait nourris à son encontre à son arrivée lui revinrent instantanément à la mémoire. «Ainsi, j'avais raison. Phoenix est bien lié à l'Église!» se dit-elle, sans pour autant s'en inquiéter, tout en espérant qu'il saurait convaincre ses supérieurs que son époux et elle étaient de bons chrétiens. En tout cas, elle était d'avis qu'ils le lui avaient bien prouvé durant son séjour chez eux.

Le détective emboîta le pas au messager en le questionnant durant tout le parcours, mais ce dernier ne put rien lui apprendre. Tout ce qu'on lui avait dit était d'amener messire Phoenix sans tarder.

Arrivé dans l'enceinte de la Sainte-Chapelle, Phoenix fut dirigé vers un évêque en prières devant la couronne d'épines du Christ ramenée des Croisades cent vingt ans plus tôt. Étonné, le détective découvrit aussi le sire de Cramoisy.

— Que se passe-t-il ? s'enquit Phoenix, légèrement inquiet.

— Dans sa très grande bonté, notre Roi Charles VI le Bien-Aimé a décidé de vous faire chevalier, lui expliqua Pierre le Hutin. Chose que je n'approuve pas, tenez-vous-le pour dit ! Mais Sa Majesté est seule juge de la valeur des hommes. Dès maintenant, vous êtes placé sous la juridiction de notre sainte mère l'Église.

Le soir même, Phoenix dut prendre un bain purificateur et revêtir la robe blanche des pénitents. Puis Pierre d'Orgemont, l'évêque de Paris, le conduisit à son tour devant la couronne d'épines du Christ.

— Vous passerez la nuit ici, en prières. Pour cette veillée d'armes, vous serez accompagné de votre parrain, le sire de Cramoisy. Vous jeûnerez aussi pour faire pénitence.

Phoenix se conforma aux ordres du religieux, mais trouva la soirée et la nuit fort longues. Son estomac ne cessait de gargouiller, et il regrettait déjà la soupe à l'orge de Pernelle, même s'il la trouvait insipide.

Au matin, l'évêque Pierre d'Orgemont se présenta pour l'entendre en confession. Puis, la Sainte-Chapelle se remplit de chevaliers, d'écuyers, de dames de la cour, et finalement Charles VI arriva en grand apparat, accompagné de ses courtisans et même de son frère Louis d'Orléans.

Après avoir entendu la messe, écouté le sermon et reçu la communion, Phoenix dut s'approcher de l'autel où le sire de Cramoisy suspendit une épée à son cou. L'évêque la bénit et lui demanda :

— Pourquoi désires-tu entrer en chevalerie?

Phoenix faillit répliquer qu'il n'avait rien demandé à personne, mais se mordit la lèvre pour ne pas laisser échapper une seule parole qui aurait été interprétée comme une insulte au roi.

— Si tu es intéressé par la richesse ou les honneurs, alors tu n'en es pas digne! continua Orgemont.

— Je veux servir mon Roi et ne défendre que les causes nobles et justes, récita le détective, en employant les mots que Cramoisy lui avait enseignés pendant leur nuit de veille.

Et il déclama aussi le serment des chevaliers, comme le lui avait appris son parrain. Puis, deux pages s'approchèrent de lui et l'aidèrent à enfiler une tenue plus appropriée à son nouveau statut : cotte de maille, cuirasse, brassards et éperons dorés. Le sire de Cramoisy lui ceignit l'épée au côté. Enfin, Phoenix s'agenouilla pour recevoir l'accolade du roi.

«J'espère qu'il a toute sa raison, car je ne voudrais pas qu'il me tranche la tête dans une crise de démence», songea le détective en fermant les yeux dans l'attente des coups à venir.

Charles VI, du plat de son épée, lui asséna trois coups sur l'épaule.

— J'espère que nous aurons le bonheur de vous voir chevaucher à nos côtés, Chevalier du Phénix, lorsque nous porterons la guerre chez nos ennemis anglais, déclara le roi en le relevant.

Des vivats retentirent aussitôt dans l'enceinte sacrée pour célébrer l'adoubement de ce nouveau chevalier, au titre pour le moins étrange aux oreilles des courtisans.

Plusieurs jours plus tard, Charles VI accorda son pardon sans condition à son frère Louis d'Orléans, qui l'avait enflammé quelques jours plus tôt, même si, dans son entourage, on murmurait que cela avait pu être un complot. Plusieurs voix s'élevaient pour dire que Louis avait voulu se débarrasser de son frère afin de monter sur le trône à sa place.

Toutefois, la terreur avait été si grande pour Charles VI, qui avait déjà l'esprit affaibli, qu'à la suite de cette tragédie le roi s'enfonça de plus en plus dans la folie.

CHAPITRE 9

L a porte de la demeure des Flamel s'ouvrit sur trois jeunes garçons rieurs et espiègles âgés de dix à seize ans. Puis entra Isabelle Perrier au bras de son époux, le tavernier Jehan Perrier. Les enfants se précipitèrent vers Nicolas Flamel pour l'embrasser, tandis que Perrier déposait sur la table deux dames-jeannes* bien remplies «d'un excellent vin de Provence», assura-t-il.

Isabelle entraîna sa sœur Pernelle dans la rue de Marivas, sous prétexte de lui montrer le nouveau cheval qui tirait leur charrette. Appuyé à sa fenêtre, Phoenix vit les deux femmes en train de discuter. L'étrangeté du lieu lui parut suspecte. Pourquoi les deux sœurs discutaient-elles ainsi, dehors, à l'abri des oreilles de leurs époux?

— Politeia, ouvre les capteurs de son!

Il hissa son médaillon à la hauteur de son oreille. La conversation des deux femmes lui parvint aussi claire que si elles s'adressaient directement à lui. Il s'éloigna de la fenêtre pour qu'elles ne le voient pas.

— Je suis venue te prévenir, lança Isabelle à Pernelle. Les rumeurs concernant la richesse de Nicolas se font insistantes. Certains l'accusent de faire de la fausse monnaie.

— Mais tu sais que c'est ridicule, s'offensa Pernelle en caressant les naseaux du cheval de trait.

— Moi, je le sais, mais le duc de Berry, lui, il prête l'oreille à tous ces racontars, insista Isabelle.

— Jean de Berry est un client de mon mari...

— Oui, mais l'a-t-il payé? La dernière fois que l'on s'est vus, Nicolas semblait dire que l'oncle du roi lui devait une somme rondelette...

— Non... soupira Pernelle, il n'a pas encore dénoué les cordons de sa bourse !

— Qu'est-ce que tu crois? Voilà une bonne occasion pour lui de ne pas payer ses dettes. S'il fait arrêter Nicolas pour faux monnayage, il n'aura plus rien à rembourser, et en plus il ne se gênera pas pour confisquer tous vos biens !

— Comment peux-tu connaître les intentions du duc, se rebiffa Pernelle, tu ne fais pas partie de ses intimes, que je sache ?

Isabelle ricana.

— Ses gardes de l'Hostel de Nesle viennent se détendre dans notre taverne. Quand ils ont bien bu, leurs langues sont plus déliées. Il suffit d'écouter leurs commentaires pour savoir ce qui se passe dans l'entourage de l'oncle du roi.

— Tu as quelque chose de précis à nous dire ?

— Hier soir, six gardes sont venus. Mon mari a su les mettre en confiance. Selon eux, le duc de Berry a ordonné une perquisition de votre résidence et de *La Fleur de Lys*.

— Quoi? Quand? Comment? s'alarma Pernelle.

Et sans attendre la réponse, elle se précipita à l'intérieur de sa demeure pour faire part de la nouvelle à Nicolas, qui faisait une partie d'échecs avec Oudin, sous l'œil de Collin, Guillaume et Jehan Perrier.

— N'aie aucune crainte, ma femme ! temporisa Flamel. Le duc de Berry ne trouvera rien de louche ici. Il peut venir, nous n'avons rien à cacher.

— Enfin ! Nous t'aurons prévenu ! lança Isabelle.

Flamel s'en alla déposer les deux bonbonnes de vin à la cave et Pernelle envoya Margot la Quesnel chez le boucher acheter du porc pour le repas du soir, tandis qu'elle-même se dirigeait vers le boulanger. Il arrivait souvent aux Flamel d'inviter les Perrier, et, comme de bien entendu, c'était toujours Pernelle et Nicolas qui faisaient les frais du repas.

Les Perrier, restés seuls, demeurèrent silencieux quelques secondes, puis Isabelle lança à son époux :

— Il faut absolument que je réussisse à convaincre Pernelle...

— Si le duc s'empare des biens de Nicolas, les enfants seront déshérités... confirma Jehan.

— J'ai déjà parlé à Pernelle plusieurs fois, mais elle est têtue. Ce sera difficile de lui faire changer son testament en notre faveur...

— Tu as raison. Tu sais comme moi que cela fait déjà trois fois que Nicolas et ta sœur renouvellent leur entente. Si Pernelle passe de vie à trépas, tout revient à Nicolas. Si c'est Nicolas qui casse sa pipe, tout ira à Pernelle.

— Ce que je trouve inconcevable, c'est tout cet argent qu'ils donnent à des églises, à des orphelinats, à des asiles pour mendiants, à des hôpitaux, à leur servante et, tu ne le croiras pas, elle lègue même des vêtements à la marchande de chandelles et à d'autres pauvresses de la paroisse, grommela Isabelle. Quant à nous, qui sommes pourtant de la famille, ils ne nous laissent que des miettes. Oudin, Collin et Guillaume ne sont pas mieux traités que des pèlerins qui demandent la charité.

Jehan ébouriffa la tignasse emmêlée de son plus jeune fils, qui s'appliquait à tracer des lettres sur un morceau de parchemin, comme le lui avait montré son oncle. Guillaume se tortilla pour échapper à sa main.

À ce moment-là, Phoenix descendit l'escalier et les Perrier se figèrent en le voyant apparaître. Flamel remonta de la cave sur les entrefaites. Il présenta le jeune détective comme un élève, « … peu doué, mais néanmoins appliqué », ajouta-t-il, goguenard.

Jehan et Isabelle Perrier dévisagèrent Phoenix froidement. Celui-ci crut discerner une lueur d'agacement au fond des yeux de la sœur cadette de Pernelle.

« Peste ! Ma présence semble leur causer un certain désagrément ! songea le voyageur du Temps. Ils devaient avoir une idée derrière la tête en venant prévenir les Flamel des intentions du duc… et me voici qui arrive comme un chien dans un jeu de quilles. J'ai dû mettre leur plan par terre ! »

Durant tout le repas, Phoenix fut l'objet d'une attention particulière de la part d'Isabelle. Elle ne cessait de l'interroger sur son lieu de naissance, sa famille, sur la façon dont il avait entendu parler de l'écrivain, sur le pourquoi du comment de sa présence à l'échoppe À La Fleur de Lys. Le détective avait amplement eu le temps d'apprendre sa nouvelle biographie par cœur et il sut habilement déjouer les pièges tendus par les Perrier.

Lorsque la soirée fut bien avancée, beaucoup trop pour qu'Isabelle, Jehan et les trois enfants prennent le chemin du retour, tout le monde gagna l'étage pour se reposer.

Encore une fois, Phoenix déclencha les capteurs de son de son ordinateur afin d'épier les conversations dans la chambre voisine de la sienne.

— Je suis sûre que Nicolas fabrique de l'or, murmura Isabelle. Leur richesse est anormale.

— J'ai parlé aux deux copistes employés par Nicolas, fit Jehan Perrier. Dreue et Mahiet n'ont rien constaté d'insolite. L'échoppe est toute petite et ne peut pas receler un atelier de fausse monnaie…

— Alors c'est peut-être dans la maison? Tu es déjà descendu à la cave, toi?

— Deux ou trois fois, pour y déposer des bonbonnes de vin! Je n'ai rien remarqué de particulier. Tu te fais des idées, Isabelle…

— Si Flamel est arrêté, je ne veux pas que ma sœur subisse le même sort que lui, tu comprends? Écorché vif et bouilli dans de l'huile, ce n'est pas une mort que l'on souhaite à son pire ennemi…

— Ne t'inquiète pas! fit Jehan. Je ne pense pas qu'ils fabriquent de l'or. Par contre, des rumeurs disent que Nicolas aurait trouvé la Pierre Philosophale. Peut-être est-ce l'origine de sa fortune?

— La Pierre Philosophale… ricana Isabelle. Voilà encore une des lubies de Flamel, et surtout encore un moyen de dépenser des milliers d'écus en pure fantaisie…

Phoenix entendit le bruissement de la paillasse de foin et de paille lorsque toute la famille se glissa entre les draps de toile. Le jeune détective sourit. La coutume de l'époque voulait que père, mère et enfants dorment ensemble.

— Si Nicolas réussit à changer le plomb en or, raison de plus pour faire changer le testament de Pernelle... Ma sœur avait déjà une certaine aisance quand elle a épousé ce libraire. Je ne vois pas pourquoi son argent personnel reviendrait à son époux, alors qu'il pourrait en fabriquer à sa guise, et que je suis là, et que nous avons trois beaux enfants pour prendre soin de son héritage.

Phoenix soupira. À la lecture des documents concernant les Flamel, il avait appris qu'Isabelle réussirait par deux fois à faire modifier le testament de Pernelle, avant que cette dernière, dans une ultime volte-face peu avant son décès, ne désigne de nouveau son mari comme unique héritier.

« À la mort de Pernelle, les Perrier vont continuer d'attaquer le testament, et Nicolas aura des différends assez graves avec la famille de sa femme. Donc, récapitulons ! Pour les Perrier, la fabrication d'or alchimique ne semble pas l'explication la plus plausible de la fortune du libraire... Et pourtant, je l'ai vu de mes yeux procéder à la transmutation. À moins qu'il n'ait fait un tour de magie pour détourner mes soupçons et ceux de Cramoisy ? L'hypothèse de la fausse monnaie me semble aussi assez peu probable. Quoique ! Je n'ai encore rien trouvé qui me prouve le contraire. Finalement, il y a la piste de l'argent confié par les Juifs. Flamel ne s'en cache pas. Il aurait pu recevoir, par mégarde, quelques pièces falsifiées et les garder à l'abri pour éviter de les utiliser et d'être accusé d'écouler de la fausse monnaie. C'est une hypothèse qui pourrait expliquer la présence de ces six pièces d'or dans sa future maison de la rue de Montmorency. Ces mêmes six écus d'or qui ont fini entre les mains du grand-père de Faustine sept cents ans plus tard. »

CHAPITRE 10

Le soleil se levait à peine que des coups firent trembler la porte des Flamel. Phoenix sursauta.

— Encore! grommela-t-il en s'étirant. Les voisins pourraient quand même choisir une heure plus décente pour venir confier leur or à maître Flamel.

Un véritable remue-ménage régna bientôt au rez-de-chaussée, ce qui tira tout à fait Phoenix du sommeil. Il prêta l'oreille. On renversait des meubles sous les protestations de Pernelle et Nicolas. Puis il y eut des ordres brefs et des bruits de pas bottés dans l'escalier. Phoenix allait se glisser dans l'ouverture de la balustrade qui encadrait son lit lorsque sa porte s'ouvrit sous une poussée violente. Quatre gardes firent irruption dans sa chambre.

— Par ordre du Roi! s'exclama le capitaine.

— Encore! protesta le jeune homme.

Un soldat le tira sans ménagement par un bras, pendant qu'un autre battait sa paillasse à grands coups de bâton, comme si quelqu'un s'était caché entre ses draps, puis il y piqua sa hallebarde.

Sans prononcer un mot, les gardes firent basculer une armoire, regardèrent sous le lit, le bousculèrent une dernière fois avant de ressortir pour aller vers la chambre des Perrier. Phoenix entendit Guillaume et Collin pleurer. Après avoir tout mis sens dessus dessous, les gardes inspectèrent la chambre de Pernelle et de Flamel, et même celle de Margot la Quesnel et de sa fille Colette.

Après avoir enfilé quelques vêtements à la hâte, tout le monde se retrouva finalement au rez-de-chaussée. Le plus grand désordre régnait dans la pièce. Casseroles, chaudrons et ustensiles décrochés de la crémaillère gisaient pêle-mêle sur le sol parmi des morceaux de terre cuite qui avaient constitué la vaisselle de table de la maisonnée.

Le regard de Phoenix se porta vers le pan de mur qui celait la pièce secrète de l'alchimiste. Les soldats ne l'avaient pas découverte.

« Ce n'est donc pas le roi qui les envoie. Le sire de Cramoisy connaît le laboratoire de Flamel et les gardes royaux en auraient été avertis… C'est donc bien Jean de Berry qui a fait procéder à cette perquisition, comme le craignaient les Perrier », se dit l'enquêteur.

En effet, le duc Jean de Berry, grand amateur d'art et surtout de livres, avait lui aussi entendu parler du fameux ouvrage d'Abraham le Juif. Après avoir fait le tour de Paris, les racontars de maître Anseaulme avaient fini par attirer l'attention des puissants comme des vauriens sur Nicolas Flamel.

Dans les années suivant son retour de Saint-Jacques-de-Compostelle, la fortune du libraire n'avait cessé de croître. Pendant une dizaine d'années, personne ne s'était véritablement préoccupé de comptabiliser ses largesses, car Flamel était discret. Mais récemment, les coffres étant de plus en plus vides et, surtout, la reprise de la guerre contre les Anglais de plus en plus probable, les puissants, tels que Jean de Berry, avaient fini par s'inquiéter de voir certains bourgeois de Paris mener grand train.

Au fil des ans, plusieurs artisans avaient reçu la visite d'huissiers au service des oncles du roi, et ceux-ci avaient fait main basse sur leurs richesses. Les infortunés s'étaient retrouvés, sans autre forme de procès, soit au Châtelet, où ils croupissaient en se demandant de quoi on les accusait, soit au pilori pour avoir tenté de résister à la saisie de leurs biens.

La réputation de Jean de Berry, l'oncle du roi, n'était plus à faire. Il était avide d'argent. *Le Livre d'Abraham le Juif*, qui selon la rumeur était entre les mains de Flamel, représentait pour lui une occasion unique de s'enrichir rapidement. En effet, grâce à la recette permettant de fabriquer de l'or, même alchimique, Jean de Berry espérait pouvoir satisfaire au mieux sa passion pour les beaux objets et le luxe, et ce, sans devoir encore emprunter aux Juifs. Ces derniers, Jean de Berry le savait, seraient bientôt chassés du royaume. Quant à se servir dans les caisses de l'État, c'était peine perdue car elles étaient complètement à sec et ne pouvaient plus satisfaire ses exigences.

Bien qu'il eût tout mis sens dessus dessous, le capitaine des gardes n'avait rien trouvé. Il s'adressa à Nicolas Flamel :

— On sait que tu agis comme receleur et qu'un groupe de faux-monnayeurs te fournit en or. Où caches-tu ces pièces qui sont autant d'insultes à notre Roi?

« Jean de Berry fera tout pour s'emparer du livre, il ira même jusqu'à accuser Flamel de faire de la fausse monnaie », songea Phoenix.

— Où est le capitaine du Louvre ? Lui seul a le pouvoir de m'interroger au nom du Roi, jeta Flamel au capitaine des gardes.

— Je suis ici, cher ami ! fit une voix grésillante dans l'encadrement de la porte que personne n'avait entendu s'ouvrir.

L'arrivée de Regnault d'Angennes, capitaine du Louvre, jeta un froid sur l'assemblée. Mais l'homme ne semblait pas menaçant.

— Je suis simplement venu vous transmettre un conseil d'ami : méfiez-vous, maître Flamel ! Les plus infâmes bruits courent sur votre compte et votre richesse fait de l'ombre à plus d'un seigneur.

— Mais, vos gardes ont pu le constater, il n'y a ici ni atelier de fausse monnaie ni laboratoire d'alchimie, messire. Je ne suis qu'un simple artisan, qui vit chichement, économise sou par sou pour la plus grande gloire de notre Seigneur Dieu et de notre Roi.

Regnault d'Angennes fit signe à la troupe de sortir de la maison. Sur le pas de la porte, il se retourna et proféra une dernière menace :

— Faites en sorte que votre nom ne soit mêlé à aucune rumeur, aucun scandale, maître Flamel. Continuez à bien travailler pour notre protecteur Jean de Berry, et vous ne serez pas inquiété.

Flamel poussa un soupir de soulagement lorsque la garde s'éloigna.

— Ils n'ont pas trouvé l'or de nos voisins juifs, heureusement ! s'exclama Pernelle, qui avait le feu aux pommettes tellement la peur lui avait donné chaud.

— Vous êtes inconscients, tous les deux, gronda Jehan Perrier en entendant ces propos. Garder ici l'or des Juifs ! Vous voulez vous faire pendre pour complicité avec des voleurs et des usuriers !

— Nous ne resterons pas une seconde de plus dans cette maison où nos trois enfants peuvent être arrêtés. Viens, Jehan, partons sur-le-champ, cria Isabelle en jetant littéralement mari et marmaille dehors.

L'huis claqua violemment sur leurs pas.

— Cette visite me fait craindre le pire pour vous, dit aussitôt Phoenix. Jean de Berry est insatiable et il a besoin d'or pour cacher ses folles dépenses au roi. Il a déjà pillé le Trésor une fois, il recommencera.

— Oui, il sait qu'il va reprendre le pouvoir bientôt, soupira Flamel, fataliste. L'incendie survenu au bal ne va sûrement pas améliorer l'état mental de notre bon Roi Charles le Bien-Aimé…

— Par contre, je ne vois pas qui a intérêt à nous chercher des noises, ajouta Pernelle, tout en se disant intérieurement que Phoenix semblait être de leur côté.

— Moi non plus ! convint Phoenix. Puis il récapitula à voix haute : Cramoisy ne dira rien, car il tient à sa petite bouteille de poussière dorée, et les Perrier comptent sur votre héritage…

— Ma sœur ! Jamais elle ne nous fera du mal. De toute façon, la honte rejaillirait sur sa propre famille ! s'exclama Pernelle, outrée.

— Vos deux copistes, Dreue et Mahiet… commença le jeune enquêteur, interrompu par un cri d'indignation de Nicolas Flamel.

— Jamais ! Ils sont entrés à mon service quand ils étaient enfants. Ça fait plus de vingt ans qu'ils travaillent avec moi, ils sont comme mes fils.

— J'imagine que vous répondez aussi de Margot la Quesnel et de Colette…

— Comme de nous-mêmes ! répliqua Pernelle. Jamais nos servantes ne chercheraient à nous nuire…

« Pourquoi cherche-t-il à rejeter la faute sur quelqu'un de notre entourage ? Est-ce pour mieux détourner les soupçons de lui ? songea Pernelle. Pourtant, depuis quelques jours j'avais décidé de lui accorder toute ma confiance. Me serais-je donc trompée ? »

— Alors la menace vient de l'extérieur, continua Phoenix. Je vous suggère de penser aux gens que vous connaissez, à vos clients, à vos voisins… La jalousie est mauvaise conseillère.

CHAPITRE 11

Flamel s'était finalement rendu à l'évidence : Phoenix n'était pas du tout doué pour le métier de copiste, et encore moins pour celui de chevalier. En le voyant s'entraîner avec sa nouvelle épée, l'écrivain-juré en était venu à la conclusion que le jeune homme était parfaitement inapte au métier des armes.

Le libraire avait décidé, en accord avec Phoenix, de l'employer à titre de coursier. Donc, après avoir remisé sans regret ses armes et son armure d'apparat, le détective avait de nouveau revêtu ses habits d'artisan.

« De toute façon, personne n'y trouvera rien à redire. À part les soldats, aucun seigneur ne se promène en armure à la cour ! » s'amusa-t-il en renfilant son bliaut et ses collants.

Son nouveau travail consistait à livrer les ouvrages réalisés par l'écrivain et à aller chercher des originaux à recopier. Cela faisait évidemment son bonheur, car il pouvait ainsi quitter l'échoppe et y revenir à sa guise.

Ses promenades dans Paris lui permettaient aussi de mieux se documenter sur les mœurs de l'époque, mais également d'écouter les commérages des uns et des autres et de mieux cerner l'entourage de l'écrivain-juré.

Si ses voisins se taisaient en sa présence, Flamel faisait néanmoins l'objet d'innombrables commentaires autant chez Gaubert, le boucher, Rouart, le boulanger, Désirat, le parcheminier, que chez Maurin, le béguin, spécialisé dans la vente de coiffes féminines.

Certains l'accusaient de profiter de l'argent des Juifs, d'autres défendaient la thèse de la fausse monnaie. Mais Fleurant le barbier, qui n'était autre que le chirurgien du quartier, confia à Phoenix, sur un ton de conspirateur, que de plus en plus de gens étaient d'avis que Flamel pratiquait l'alchimie. Les propos irréfléchis de maître Anseaulme en étaient évidemment la cause.

— La nuit, de plus en plus de gueux font les cent pas dans le quartier Saint-Jacques-la-Boucherie, avait expliqué Fleurant à Phoenix. Ils surveillent la maison de Flamel. Un jour ou l'autre, cela finira mal.

« Hum ! Je n'aime pas ça ! Il va falloir que je laisse Politeia en faction même la nuit, songea le détective. Si des malfaiteurs décident de passer à l'attaque, je ne veux pas qu'on soit trucidé dans notre sommeil. »

Le jour même, Phoenix insista auprès de maître Flamel :

— Il faut que des hommes de guet patrouillent plus souvent dans les rues voisines de votre maison et de votre échoppe. La corporation des écrivains est puissante, elle doit avoir les moyens de payer quelques gens d'armes de plus pendant quelque temps.

Flamel ne souleva aucune objection. Il avait déjà pensé à recommander à la garde de s'intéresser un peu plus à son quartier, car il avait, lui aussi, remarqué les allées et venues dans les alentours de certains sujets peu recommandables.

* * *

Flamel avait envoyé Phoenix quérir deux ouvrages religieux à l'abbaye de Saint-Martin-des-Champs, située hors de l'enceinte fortifiée de Paris. C'était à présent la fin de la journée, et Phoenix se hâtait de rentrer. Fin janvier, le froid était vif dans la capitale du royaume. Mais, surtout, la nuit allait bientôt tomber, et Phoenix voulait être de retour chez Flamel avant que les ombres des ribaudes qu'il voyait danser dans les portes cochères ne cèdent la place à celles des truands.

Alors que le détective franchissait la porte Saint-Martin, une femme au sourire engageant l'interpella :

— Hé, mon mignon, deux sous seulement…

La femme ne portait ni bonnet ni bijoux, mais elle était élégante dans sa robe de soie. Le bas de son manteau était finement bordé de fourrure de petit-gris*, bien qu'un décret royal interdît ce type d'accoutrement pour les femmes de son état.

— Une autre fois, Marquise ! répondit Phoenix d'un ton badin. J'ai à faire pour le moment.

Plus loin, un carme déchaux* l'apostropha :

— Hé, Monseigneur, une petite pièce… Rien que quelques sous pour mes bonnes œuvres…

Phoenix s'arrêta et glissa quelques pièces dans la main tremblante de froid du frère mendiant.

— Attention, jeune homme, lui souffla celui-ci, vous êtes suivi. Puis il s'exclama devant la générosité du don : Ah, grand merci, Monseigneur !

113

— Merci à toi, frère, murmura le détective. Je les ai à l'œil depuis un bon moment.

Il s'éloigna en parlant à voix basse à Politeia.

— Ils sont toujours là?

— Oui, ils se tiennent à distance, mais cette fois je sais de qui il s'agit, tu les as déjà croisés.

— Ah? Qui est-ce?

— Dreue et Mahiet, les copistes de Flamel.

— Bizarre! À ton avis, sont-ils amicaux ou menaçants?

— Je dirais plutôt timides, hésitants. Comme s'ils voulaient te dire quelque chose, mais n'osaient pas.

— Je vais ralentir le pas pour leur permettre de me rejoindre, cela va peut-être les décider à m'aborder.

Phoenix ralentit la cadence, faisant mine de ne plus savoir quel chemin prendre pour retourner rue de Marivas. Il semblait tourner en rond. Finalement, les deux copistes arrivèrent à sa hauteur. Il se retourna, faisant semblant de les découvrir et d'être heureux de leur présence.

— Ah, vous tombez bien, mes amis! Je ne sais plus par où passer pour rentrer chez notre maître.

— Nous allons t'accompagner, proposa Dreue. Tu n'en es plus tellement loin. Suis-nous!

— Et d'où reveniez-vous? fit Phoenix sur le ton de la conversation, afin de ne pas paraître trop curieux.

— Oh... euh... nous... euh... bégaya Mahiet, avec une lueur de panique au fond des yeux.

Dreue lui flanqua un coup de coude dans les côtes.

— Dis-le-lui!

— Eh bien, nous te cherchions. Nous voulions te parler... reprit le plus jeune des copistes.

Phoenix s'arrêta dans l'ombre de l'église Saint-Magloire et les dévisagea.

— Que puis-je pour vous?

— C'est que… c'est que… balbutia Mahiet, qui triturait la manche droite de son manteau.

— C'est que Thomas le Long, le changeur, est venu nous voir pour en savoir plus sur ton compte, reprit Dreue sur un ton ferme.

— Il écoule de la fausse monnaie, continua Mahiet, toujours hésitant.

— Je m'en doutais, répondit Phoenix. Que veut-il?

— Cela fait plusieurs fois qu'il nous offre des pièces d'or, des vraies, insista Dreue, pour connaître le secret de la fortune de maître Flamel.

— Nous, on lui a dit qu'on ne savait rien, reprit Mahiet vivement. Seulement que maître Flamel travaille beaucoup, qu'il économise énormément et qu'il n'y a rien de frauduleux dans sa richesse…

— Mais il ne nous croit pas! soupira Dreue.

— Il a entendu parler du *Livre d'Abraham le Juif*. Maître Anseaulme en a parlé à sa femme, qui en a parlé à sa mère, qui en a causé à Emeline, la lavandière, et ainsi de suite. La nouvelle a rapidement fait le tour du quartier, pour parvenir jusqu'aux oreilles d'Aalis la Blonde, la gueuse de Thomas le Long. Il nous a déjà demandé au moins une douzaine de fois de le laisser s'introduire dans l'échoppe ou dans la maison de maître Flamel pour qu'il puisse y fouiller à sa guise.

— En échange, il vous promet de l'or? demanda Phoenix.

— Pas seulement. Il menace aussi ma mère et ma petite sœur, fit Mahiet, la voix entrecoupée de sanglots.

— On ne sait plus quoi faire, ni comment s'en débarrasser… enchaîna Dreue.

— C'est facile, portez plainte à la prévôté ! les interrompit Phoenix d'un ton brusque.

— Impossible ! continua Mahiet, sur un ton défait. Je suis recherché par les hommes d'armes du roi. Il y a quelques années, avec mon père, j'ai été mercandier*.

Comme Phoenix fronçait les sourcils, ne comprenant vraisemblablement pas de quoi il s'agissait, Mahiet lui expliqua :

— Les mercandiers vont par les rues deux par deux. Ils sont bien vêtus, avec un bon pourpoint, mais ils ont de mauvaises chausses. Mon père criait que nous étions de bons marchands ruinés par les guerres… Et dès qu'un passant s'approchait pour nous aider, nous le détroussions… Quelques-uns y ont laissé la vie.

— Pourquoi m'avouez-vous tout cela, à moi ? s'étonna Phoenix. N'avez-vous pas peur que je vous dénonce ?

— On te le dit parce que maître Flamel et Dame Pernelle sont comme père et mère pour nous, répliqua Mahiet. Je ne veux pas qu'on leur fasse de mal. Et je ne sais pas vers qui me tourner. Les Flamel te font confiance, alors moi aussi !

— Si nous racontons tout cela aux gens d'armes, expliqua Dreue, ils vont nous arrêter sans chercher à savoir si Mahiet s'est repenti. Larron un jour, larron toujours ! On ne peut pas leur faire confiance pour traiter cette affaire avec justice.

— Le roi a sûrement d'autres chats à fouetter maintenant. Je doute que tu sois encore poursuivi… tenta de le rassurer Phoenix.

— Peut-être as-tu raison, mais, vois-tu, je n'ai pas envie de courir le risque. Mon père était l'un des plus grands fripons de Paris, et Thomas le Long nous connaît bien. Il peut inventer n'importe quelle truanderie pour me faire prendre, continua Mahiet.

— Que voulez-vous que je fasse pour vous ?

— Il faut que tu t'empares du *Livre d'Abraham le Juif* et que tu le remettes à Thomas le Long. C'est le seul moyen de nous sauver... et de te sauver aussi ! l'assura Mahiet.

— Comment cela, de me sauver aussi ? Thomas le Long ne me menace pas !

— Si... Il a décidé de te trucider si tu ne lui apportes pas le livre. C'est le message qu'il nous a chargés de te faire parvenir. Il est convaincu que Flamel et toi, vous fabriquez de l'or alchimique, répliqua Dreue.

— Les ducats de Venise que tu as changés, il les a trouvés trop... parfaits ! ajouta Mahiet. Même pas usés...

Phoenix se mordit la lèvre. L'argent fourni par le SENR n'avait évidemment pas subi l'usure d'années de transaction. Le Service avait pris soin de donner aux ducats une bonne patine, mais rien ne pouvait égaler le gras des mains et le frottage des pièces les unes contre les autres dans une bourse de cuir. Thomas le Long était un changeur expérimenté, il avait bien examiné les pièces et ne s'était pas laissé duper.

Un homme de guet les apostropha d'une voix courroucée :

— Êtes-vous sourds ? Ça fait trois fois que je crie le couvre-feu ! Rentrez chez vous ou je vous arrête pour vagabondage.

Phoenix, Mahiet et Dreue sursautèrent. Cela faisait près de cinq minutes qu'ils s'étaient arrêtés et discutaient au milieu de la rue.

— Vite, rentrons ! les pressa Phoenix. Où habitez-vous ? Vous n'avez pas un trop long chemin à parcourir ?

— Non, maître Flamel nous loge dans l'une des maisons qu'il a achetées l'an dernier, le rassura Dreue, c'est à deux pas de l'échoppe.

— Bon. On reparle de tout cela demain, conclut Phoenix. Je dois réfléchir pour mettre au point un plan qui nous tirera tous les trois de ce mauvais pas.

* * *

Le lendemain, dès la première heure, Phoenix se rendit sur le pont aux Changeurs. Un à un, les monnayeurs ouvraient leur échoppe. Thomas le Long arriva parmi les derniers. Il installa sa table basse, la recouvrit d'un tapis et y installa sa balance, son coffre rempli de monnaies diverses, et ses livres de compte. Puis, il s'assit sur son banc de bois et attendit les clients. Le jeune détective vint se planter devant lui, un sourire indéfinissable au coin des lèvres.

En le voyant, Thomas le Long eut d'abord un mouvement de surprise, mais il n'était pas facilement impressionnable, et retrouva très vite son aplomb. Il prit même l'initiative de l'attaque.

— Ah, te voilà ! Alors tu t'es décidé à négocier ?… lança-t-il, en employant les mots utilisés dans sa profession pour que ses voisins cambistes ne saisissent pas le double sens de ses propos.

— Je n'ai rien à négocier, répliqua Phoenix. Je suis venu te mettre en garde…

— Ne me menace pas! s'écria Thomas le Long. N'oublie pas que je suis un changeur reconnu par ma corporation… Je pourrais te faire arrêter pour ça.

— Et pour quel motif? fulmina Phoenix.

— Faux monnayage… sourit le changeur. Il suffit que je claque des doigts et les hommes d'armes du Châtelet te jetteront en prison.

— C'est un mensonge, tu sais très bien que mon argent n'est pas contrefait…

— Vois-tu, mon ami, l'or de ta monnaie est beaucoup trop pur, trop raffiné, ricana le changeur, en jetant des coups d'œil rapides à ses voisins pour vérifier que personne ne prêtait trop attention à ses dires. Il y a de la manipulation là-dessous. Maître Flamel est habile, sa transmutation est parfaite… Il me faut son secret!

— Maître Flamel n'a rien à voir là-dedans, et tu le sais. Mes ducats de Venise viennent de la cité des Doges, et personne ne pourra dire le contraire.

Thomas le Long le menaça d'un doigt tendu.

— C'est ta parole contre la mienne. Qui mettra en doute l'avis d'un expert comme moi, d'un changeur habile et reconnu sur la place de Paris?

Phoenix comprit qu'il ne s'en sortirait pas en discutant avec Thomas le Long devant les autres changeurs, qui s'intéressaient de plus en plus à leurs échanges. Il devait le voir seul à seul, quitte à lui faire peur en faisant intervenir Politeia qui, sous bien des aspects, pouvait passer pour un spectre aux yeux de ces gens superstitieux du Moyen Âge. Le procédé avait déjà porté fruit à quelques reprises, et il n'hésitait jamais à s'en servir pour se sortir d'un mauvais pas.

— Toi, continua Thomas le Long, tu n'es qu'un étranger qui débarque d'on ne sait où, les poches pleines et la langue trop bien affilée…

Il attrapa Phoenix par le col de son manteau et, ce faisant, dégagea son médaillon en forme de coquillage. D'un geste brusque que le jeune détective ne put prévenir, le changeur lui arracha son précieux ordinateur.

— Tiens, tiens, bel objet, mon coquillard* ! Un souvenir de Compostelle peut-être ?

— Rends-moi ça, tout de suite ! s'emporta Phoenix.

Il voulut arracher le médaillon des mains du monnayeur, mais ce dernier le glissa habilement sous sa chemise.

— Si tu veux le récupérer, tu devras m'apporter le livre de Flamel ce soir, une heure après le couvre-feu, au cimetière des Innocents, près du Charnier des Escrivains, susurra Thomas le Long. Tu trouveras…

— Je me débrouillerai…

Le détective respirait très fort par les narines pour contenir sa colère.

— Bien, je constate que tu deviens plus raisonnable, continua Thomas le Long, en prenant le silence de Phoenix pour un signe de reddition. Tâche d'être au rendez-vous et surtout d'avoir le livre avec toi, car il n'y aura pas d'autre négociation. Je sais que tu vis chez maître Flamel et je n'hésiterai pas à vous dénoncer tous les deux à la prévôté.

Rageur, le voyageur du Temps fit demi-tour, en se promettant d'avoir le dernier mot dans cette histoire.

CHAPITRE 12

L'endroit le plus sale et le plus repoussant de Paris était sans contredit le marché aux Pourceaux, au pied de la Butte aux Moulins où deux grands mécanismes de bois déployaient leurs ailes et éventaient les badauds venus assister au supplice des condamnés : voleurs, hérétiques, sorciers, faux-monnayeurs… Au fil des ans, les terres extraites des fossés de Paris et les immondices jetés jour après jour par les habitants avaient formé deux buttes en ce lieu. C'était aussi là que les vendeurs de cochons s'étaient installés pour égorger et écorcher leur marchandise. L'odeur y était infecte.

Phoenix se hâta de traverser cet endroit infâme pour entrer dans le cimetière des Innocents. En y pénétrant, il vit danser la lumière de plusieurs lanternes. La nécropole était en effet très fréquentée même la nuit et, surtout, le désordre y régnait. Il entendit le cri de quelques cochons fouinant la terre pour se repaître des cadavres qui remontaient du sol à cause des récentes pluies d'hiver. Si les nantis et les bienfaiteurs du cimetière bénéficiaient de caveaux individuels, les déshérités étaient inhumés sommairement dans d'immenses fosses communes peu profondes et constamment ouvertes. Les corps étaient déposés dans les fosses entre deux minces couches de terre.

Frissonnant de dégoût, le détective longea la fontaine des Innocents, puis l'église du même nom. Le Charnier des Escrivains était situé à l'opposé. Pour s'y rendre, il devait traverser tout le cimetière, ce que Phoenix n'osait pas faire de peur de marcher sur quelque tombe et de profaner le repos des morts. Il préféra passer sous les arcades des Charniers, empruntant des galeries, sombres et humides, qui servaient de passages piétonniers, au risque d'y tomber sur un larron embusqué.

À la lumière de sa lanterne, il y remarqua des tombeaux, des monuments funéraires, mais aussi d'étroites boutiques de mode, de lingerie, de mercerie et des bureaux d'écrivains publics. Le jour, les Charniers grouillaient de commerçants, et des artisans de petits métiers s'y côtoyaient.

Quatre ans plus tôt, Nicolas Flamel avait fait édifier et décorer à ses frais une arcade du Charnier des Lingères et une autre au Charnier des Escrivains, sous laquelle il avait installé une table d'écrivain public où officiait l'un de ses employés.

En arrivant au lieu de rendez-vous, Phoenix découvrit les portraits en pied et dorés de Nicolas et Pernelle Flamel. Il lut l'inscription : «𝕮e 𝖈𝖍𝖆𝖗𝖓𝖎𝖊𝖗 𝖋𝖚𝖙 𝖋𝖆𝖎𝖈𝖙 𝖊𝖙 𝖉𝖔𝖓𝖓é à 𝖑'é𝖌𝖑𝖎𝖘𝖊 𝖕𝖔𝖚𝖗 𝖆𝖒𝖔𝖚𝖗 𝖉𝖊 𝕯𝖎𝖊𝖚, 𝖑'𝖆𝖓 1389. 𝕻𝖗𝖎é𝖘 𝕯𝖎𝖊𝖚 𝖕𝖔𝖚𝖗 𝖑𝖊𝖘 𝖙𝖗𝖊𝖘𝖕𝖆𝖘𝖘é𝖘 𝖊𝖓 𝖉𝖎𝖘𝖆𝖓𝖙 𝕻𝖆𝖙𝖊𝖗 𝖓𝖔𝖘𝖙𝖊𝖗, 𝕬𝖛𝖊. 𝕹. 𝕱.[2]» Un peu plus loin, il remarqua encore le portrait d'un homme noir, assurément la

---

2. Ce charnier fut fait et donné à l'église pour l'amour de Dieu, en l'an 1389. Priez Dieu pour les trépassés en disant un *pater noster, ave.* N.F.

Mort, qui étendait un bras vers le cimetière devant lui. Dans l'autre main, il tenait un rouleau sur lequel était écrit : « 𝔍e voi merveille dont moult m'esbahis[3]. »

Flamel était loin d'être le seul à avoir fait construire arcades et charniers, et en se promenant Phoenix découvrit aussi les noms d'autres bienfaiteurs, notamment ceux d'un certain Berhault de Rouhen et de sa femme Jacqueline.

Le détective se concentrait pour déchiffrer les inscriptions, il n'entendit pas Thomas le Long s'approcher derrière lui. À travers son manteau, le jeune homme sentit la pointe d'un couteau lui piquer les côtes. Il faillit laisser échapper sa lanterne. Sans Politeia, il était à la merci des malfaiteurs en maraude.

— Et alors, ce livre ?

— Mon médaillon d'abord ! lança Phoenix en tournant légèrement la tête vers son agresseur.

Il espérait pouvoir récupérer son ordinateur, s'en servir pour impressionner son interlocuteur, puis prendre la fuite. Mais Thomas le Long n'était pas né de la dernière pluie.

— Tu n'as pas apporté le livre, n'est-ce pas ?

Phoenix se raidit, prêt à se jeter sur le changeur, car il avait la ferme intention de ne pas se laisser embrocher. Mais Thomas fit un geste en direction de la noirceur du cimetière. Deux hommes inquiétants surgirent du néant et se jetèrent sur l'enquêteur, qu'ils maîtrisèrent rapidement malgré les coups de poing que Phoenix tentait de leur asséner.

— Le Grand Coësre décidera de ton sort ! cracha Thomas le Long. Emmenez-le !

---

3. Je vois des merveilles dont plusieurs m'ébahissent.

— Vous n'avez pas le droit ! protesta le détective pour la forme, car il savait bien que les mécréants n'écouteraient rien. Je suis le Chevalier du Phénix, un protégé du roi Charles...

Thomas le Long ricana :

— Le seul roi que l'on reconnaît à cette heure de la nuit est le Grand Coësre qui gouverne la Cour des Miracles...

Phoenix fut traîné hors du cimetière par les rues de la Grand-Chaussée de Monseigneur Saint-Denis et de la Grande Truanderie. De loin en loin, des cris retentissaient : c'étaient les guetteurs de la Cour des Miracles qui veillaient sur les frontières du royaume des gueux.

* * *

Phoenix vit d'abord des feux sur lesquels chauffaient des chaudrons remplis de nourritures diverses. Des enfants pouilleux, crottés de boue, s'amusaient non loin de là sur une immense place remplie de fange puante. Puis Phoenix aperçut les bateleurs, des cracheurs de feu et des jongleurs qui se pressaient devant un petit homme assis sur une charrette de bois en guise de trône. Il découvrit près de lui la bannière et les armoiries de cette cour et de ce souverain de la nuit : un chien mort pendu au bout d'une perche.

Mendiants, voleurs, trancheurs de gorge, estropiés, tous exhibaient des moignons et des plaies horribles, certaines authentiques, mais la plupart habilement imitées. Le jour, cela leur permettait d'apitoyer le pauvre peuple aux alentours des églises de Paris et de lui soutirer quelques pièces ou un quignon de pain.

— Prosterne-toi devant le Grand Coësre, fit Thomas en le poussant d'une bourrade dans le dos.

Phoenix vacilla mais ne s'étala pas dans la boue comme l'autre l'avait espéré.

— M'as-tu apporté *Le Livre d'Abraham le Juif*? grommela le chef des gueux en montrant ses épouvantables dents noircies.

Le Grand Coësre, le chef élu des truands, était un homme d'une quarantaine d'années, aux longs cheveux sombres qui lui tombaient sur les épaules, aux yeux globuleux noirs et brillants d'intelligence. Ses sujets lui rendaient hommage et lui payaient une redevance quotidienne. Après vingt heures, ce personnage redoutable malgré sa petite taille, devenait le véritable maître de Paris. Tous lui devaient une obéissance aveugle à la Cour des Miracles.

— Je veux d'abord mon médaillon, s'entêta Phoenix en désignant une jeune femme qui l'avait passé autour de son cou et qui n'était autre qu'Aalis la Blonde, la compagne de Thomas le changeur.

La femme referma sa main sur le coquillage pour signifier qu'il lui appartenait.

— Tu n'es pas en position de dicter tes conditions, grinça le Grand Coësre de sa voix de crécerelle.

Aussitôt, les matois*, les malingreux*, les callots*, les sabouleux*, les piètres*, les hubains*, les coquillards, les riffaudés*, les courtauds de boutanche*, les drilles*, les narquois*, les gens de petite flambe*, toutes les ribaudes de la Cour des Miracles firent cercle autour de Phoenix, lui interdisant tout mouvement. Il lui était impossible de s'en prendre au Grand Coësre tout autant que de fuir.

«Peste! La situation se corse, songea-t-il. Mais comme ils ne m'ont pas encore découpé en morceaux, j'ai peut-être une chance de m'en sortir, à condition que je parvienne à récupérer mon médaillon... »

Le bourdon de Notre-Dame sonna et, comme par magie, le cercle des mendiants et des assassins qui entourait le jeune détective se désintégra. D'étroites ruelles sombres avalèrent voleurs et coupe-jarrets. La nuit était leur royaume, et le moment était venu pour eux de se mettre à leur besogne.

— Mettons-le en cage, ordonna le Grand Coësre, nous verrons plus tard ce que nous ferons de lui! Que les mendiants le surveillent.

Thomas le Long entraîna Phoenix jusqu'à une cage de bois qui se dressait au fond d'un cul-de-sac, à côté d'une maison de bois pourri, à demi-enterrée dans la boue et où une dizaine de familles s'entassaient dans la moisissure et les détritus.

— Entre là-dedans! fit Thomas le Long en menaçant le détective de son couteau.

Conscient qu'il risquerait sa vie s'il désobéissait, Phoenix s'exécuta. Thomas le Long referma la cage et s'éloigna, laissant son prisonnier seul dans les ténèbres.

Durant de nombreuses heures, assis au fond de sa cage, le jeune détective chercha un moyen de s'enfuir. En vain. Puis, tout à coup, son regard surprit un mouvement à une cinquantaine de centimètres de son genou : des yeux rouges le fixaient intensément. Il faillit hurler. Son pire cauchemar se matérialisait. Un rat s'était introduit dans la cage. Au Moyen Âge, les rongeurs étaient porteurs des pires maladies, mais surtout de la peste, qui avait déjà décimé des milliers de personnes quelques années auparavant.

Phoenix parvint à se raisonner et ravala son cri, de crainte que la bête ne se jette sur lui. Il lui fallait à tout prix éviter de se faire mordre. Lentement, il retira son manteau, glissa vers le côté opposé de la cage et abattit rudement le vêtement devant lui. Effrayé, le rat détala. Phoenix poussa un soupir de soulagement, mais il savait que sa tranquillité ne serait que de courte durée. Il ne ferma pas l'œil de la nuit, restant sur le qui-vive afin de repousser d'autres intrusions de rongeurs.

Au matin, les yeux rougis par les miasmes du lieu malsain où il croupissait, il vit revenir les coupe-jarrets et les voleurs. Les premiers étaient couverts de sang et, tout comme les seconds, ils jetèrent des bourses bien garnies dans la charrette du Grand Coësre qui apparut à son tour au bout d'une ruelle.

Lorsque mâtines sonna à l'église des Innocents, faux estropiés et mendiants envahirent de nouveau la place. Phoenix avait presque l'impression de les voir sortir de terre, alors qu'ils émergeaient de leurs masures branlantes et vermoulues. La plupart adoptèrent aussitôt la démarche claudicante et les grimaces de douleur qu'ils allaient feindre toute la journée pour susciter la pitié des Parisiens. Le roi des gueux et ses seconds, que Phoenix eut l'étonnement d'entendre appelés duc d'Égypte et Archisupôt*, se mirent à examiner les recettes de la nuit de rapines. La récolte avait été bonne. Les trois compères étaient contents.

L'une des lois de la Cour des Miracles voulait qu'on ne garde jamais rien pour le lendemain. Aussitôt après avoir prélevé sa part, le Grand Coësre chargea le duc d'Égypte et l'Archisupôt de distribuer la nourriture que les millards*, les pourvoyeurs de la communauté, avaient réussi à chaparder au cours de la nuit dans les cabarets et les auberges de la ville.

— Ce soir, nous ferons bombance, mes amis! proclama le duc d'Égypte en étalant la nourriture sur des pièces d'étoffes que quelques francs-mitous* avaient ramenées pour leurs marjauds*.

Convaincu qu'on l'avait pour l'instant oublié, Phoenix se remplissait les yeux et les oreilles de la vie grouillante de la Cour des Miracles, tout en se faisant aussi petit qu'il le pouvait afin qu'on ne se souvienne pas trop vite qu'il était dans sa cage.

La journée passa. Il n'avait ni bu ni mangé, et personne n'était venu le voir. Il entendit les sergents de guet proclamer le couvre-feu dans une rue, quelque part.

Aussitôt, des milliers de chandelles furent allumées et disposées au hasard de la grand-place. Le détective vit revenir les gueux qui étaient partis le matin. Il constata que, en mettant le pied sur la place, le boiteux marchait droit, le paralytique dansait, l'aveugle avait une vision perçante, le sourd chantait et jouait de la musique et même les vieillards avaient rajeuni. Encore une fois, la Cour des Miracles se montrait digne de son nom.

Phoenix désespérait de sortir de son horrible prison, lorsque la chance se présenta enfin sous l'apparence d'un orphelin* âgé d'environ cinq ans tout au plus. Le garçon avait été attiré par le bonnet et le manteau du détective, et ses petites mains se glissèrent dans la cage pour s'en emparer. Phoenix recula en murmurant :

— Chut! Je te les donne… et tu n'auras pas besoin de partager avec qui que ce soit si tu ouvres la cage.

L'enfant, soupçonneux, hésita. Il se retourna pour vérifier que personne ne l'avait vu. La fête battait son plein sur la place centrale ; le vin coulait à flots, et même le Grand Coësre faisait honneur à la bonne chère. On entendait des chants et des cris de joie.

— C'est la fête ce soir, continua Phoenix. Tout le monde a revêtu ses plus beaux atours…

— C'est la Chandeleur, confirma le gamin, en tentant encore une fois d'attraper un pan du manteau du prisonnier.

« C'est surtout pour moi le bon moment pour m'éclipser, se dit Phoenix. Je récupérerai mon médaillon une autre fois. De toute façon, je sais où trouver Thomas le Long, et par conséquent je finirai bien par mettre la main sur Aalis la Blonde. L'occasion est unique ! »

— Si tu m'ouvres la cage, je te ferai cadeau de mon bonnet et de mon manteau pour la Chandeleur, reprit le détective.

Joignant le geste à la parole, il retira son couvre-chef et le promena à la hauteur des yeux brillants de convoitise de l'enfant. Le garçonnet avança la main et tâta l'étoffe du bout des doigts, mais Phoenix la retira aussitôt. Alors, sans dire un mot, l'enfant tourna les talons et s'éloigna.

« Peste ! S'il est parti prévenir quelqu'un, je suis fichu ! »

Cinq minutes plus tard, le gamin revint. Il était accompagné d'une jeune fille d'une dizaine d'années. Le cœur de Phoenix sauta un battement. « Pourvu que l'alerte n'ait pas été donnée ! »

— Chut ! fit la fillette en mettant un doigt sur ses lèvres.

Phoenix répéta l'offre qu'il avait déjà faite au garçonnet.

— Faites-moi sortir, et je vous donnerai mon chapeau et mon manteau, je le jure!

— Pas tout de suite, reprit la gamine. Demain matin, avant le lever du soleil, je reviendrai te libérer. Ce soir, c'est trop dangereux!

Elle attrapa le petit garçon par la main et tous deux disparurent dans une masure.

La nuit de Phoenix fut terrible. Il avait faim, il avait soif, et n'arrivait pas à dormir, rongé par la crainte que les malandrins profitent de son sommeil pour se jeter sur lui.

Du fond de son cul-de-sac, il assista avec angoisse aux réjouissances de la Chandeleur à la Cour des Miracles. La nourriture était abondante, mais le vin l'était encore plus. Les gueux en lampaient à pleine jarre. Des rixes éclatèrent et les lames des couteaux brillèrent dans le noir. Les chants, les cris, les invectives le faisaient sursauter. Il craignait que l'un de ces horribles personnages se souvienne de lui et décide de lui faire un mauvais parti pour amuser les autres. Mais les vilains s'empiffraient et buvaient à volonté, tandis que des Bohémiens faisaient de la musique et dansaient autour des feux de camp.

Le calme ne revint sur la place qu'aux petites heures du matin. Des corps enivrés de vin et de fatigue étaient tombés pêle-mêle sur le sol et remuaient dans la boue, agités de soubresauts.

Le soleil perçait à peine lorsque, enfin, Phoenix vit arriver l'orphelin et la fillette de la veille. À la main de celle-ci, il remarqua un anneau où cliquetaient deux grosses clefs. «Mon Dieu, ç'a marché!»

La fillette glissa la clef dans la serrure de métal de la cage et la tourna. Ankylosé, Phoenix eut quelques difficultés à s'extraire de sa prison. À peine sorti, il saisit la fillette par un bras.

— Vite, filons !

Les deux enfants examinèrent les environs, personne ne leur prêtait attention. Toujours en silence, ils guidèrent Phoenix à travers des ruelles obscures et glissantes, sans rencontrer âme qui vive. Ils débouchèrent enfin dans une rue plus large et pavée.

— C'est la rue Maudétour ! lui souffla enfin la gamine, dont il entendait la voix pour la première fois ce matin.

Phoenix déposa son manteau sur les épaules de la fillette et glissa son chapeau sur la tête du petit garçon.

— Pourquoi m'avez-vous aidé ? demanda-t-il finalement, car cette question l'avait taraudé depuis la veille et tout le long du chemin.

— Nous sommes des enfants dérobés, lui expliqua la fillette. Nous sommes les esclaves de l'Archisupôt. Je m'appelle Clothilde, et lui c'est Philibert…

— Quoi ? Des enfants volés ! dit Phoenix en manquant s'étouffer. Vite, sauvons-nous ! Si on s'aperçoit de notre fuite, nous allons avoir toute la Cour des Miracles aux trousses.

Prenant les enfants par la main, le jeune détective s'élança à toutes jambes dans la rue Maudétour, espérant gagner rapidement la Grand-Chaussée de Monseigneur Saint-Denis qu'il connaissait et qu'il savait mener vers le quartier Saint-Jacques-la-Boucherie. Tout en cherchant son chemin dans un labyrinthe de petites rues qui se ressemblaient comme deux gouttes d'eau, l'enquêteur ne cessait d'interroger Clothilde.

— Qui vous a enlevés? Depuis quand êtes-vous à la Cour des Miracles? Pourquoi ne pas avoir cherché à vous évader plus tôt?

— Moi, j'ai été enlevée aux environs de la Noël en sortant de l'église, expliqua la fillette. Lui est arrivé quelques jours plus tard. On n'a pas cherché à s'évader plus tôt parce qu'on était constamment surveillés, mais avec la fête de la Chandeleur, les mendiants nous ont un peu laissés tranquilles. J'avais décidé qu'on se sauverait hier soir. Ta présence a bien failli faire échouer mon plan. Lorsque Philibert est venu me chercher, j'avais décrété que c'était le moment de partir. J'ai dû remettre notre fuite à plus tard car il fallait que j'obtienne la clef de ta prison. Heureusement, l'Archisupôt dormait dur comme fer ce matin.

— Philibert est ton petit frère? l'interrogea encore Phoenix, tout en soulevant le petit garçon qui n'arrivait pas à suivre leur rythme pour le mettre sur ses épaules.

— Non. Mais je sais d'où il vient. Si tu peux nous ramener à nos parents, tu seras largement récompensé, reprit la gamine, à bout de souffle.

— Pas de récompense! Je vous ramène, c'est entendu!

Mais tout à coup, un grand bruit interrompit net la course des trois fugitifs. Devant eux se dressaient une douzaine d'hommes armés et menaçants.

CHAPITRE 13

— Ah, le gueux! Le voleur d'enfants! s'exclama un garde portant le bleu, le rouge et le blanc de la livrée* royale.

— Ne le laissons pas s'échapper! ordonna Guillaume Cassinel, le sergent d'armes.

Les hallebardes s'inclinèrent vers lui et Phoenix dut faire un bond en arrière pour ne pas être embroché.

— Mais non, vous ne comprenez pas… tenta d'argumenter Clothilde en se plaçant entre le détective et les gens d'armes.

Deux solides gaillards les soulevaient déjà de terre, elle et Philibert, pour les éloigner de celui qu'ils prenaient pour un voleur d'enfants. Il faut dire que l'allure de Phoenix pouvait prêter à confusion : il avait l'œil hagard et la mine chiffonnée par le manque de sommeil.

— Je suis le Chevalier du Phénix, je viens de libérer ces enfants, protesta en vain le voyageur du Temps.

— Écoutez-moi ce gueux! Chevalier du Phénix, on n'a jamais entendu parler de ça… fit Cassinel. Chevalier d'Argot*, oui! Espèce de menteur! Tu n'es qu'un des suppôts du Grand Coësre, un de ces faux ducs de la Cour des Miracles.

Ah, on te tient, mon bandit! Allez, en route. Au Châtelet! On a les moyens de te faire parler.

Clothilde et Philibert se débattirent, mais les deux soldats qui les portaient ne voulurent ni les écouter ni les lâcher, et les deux enfants furent emmenés, hurlants, en direction du couvent voisin des Filles-Dieu, où, les assurait-on, ils seraient bien traités en attendant que l'on prévienne leurs parents de leur libération.

Encadré par les gens d'armes, Phoenix jugea plus sage de se taire et d'obtempérer aux ordres. « Ah, Politeia! Pourquoi n'ai-je pas cherché à te récupérer avant de quitter la Cour des Miracles? Parce que tu te serais de nouveau fait prendre, se répondit-il à lui-même. Je dois rester calme. Lorsque l'occasion de m'enfuir se présentera, je ne dois pas la rater! »

En quittant les abords de la Cour des Miracles, au moment où Phoenix et ses gardiens tournaient à l'angle de la rue des Prêcheurs et de la rue de la Grand-Chaussée de Monseigneur Saint-Denis, ils croisèrent une charrette. Dans celle-ci, un condamné nu jusqu'à la ceinture se tenait debout de peine et de misère. Il grimaçait de douleur et chancelait en râlant. Le bourreau, masqué et tout vêtu de rouge sang de bœuf, comme il se devait, était derrière lui et, de la pointe d'un bâton ferré, le forçait à rester debout.

— Ah, s'exclama de joie Guillaume Cassinel, le sergent d'armes, suivons-les! Nous avons déjà manqué le début d'un beau spectacle. Par le feu et par le fer, ce criminel va expier ses fautes.

— Il arrive de la rue aux Juifs. Regarde, il porte déjà la marque d'infamie sur le sein gauche, murmura un garde à son compagnon d'armes.

— Son sein droit et son front sont aussi brûlés. Il est donc passé par le Carreau du Temple et par l'Hôtel de Ville. Dommage! Nous devrons nous contenter de la dernière halte.

Marchant au pas, près de la charrette, un hérault* récitait la liste des méfaits du condamné, que Phoenix jugea fort longue, mais qui relevaient tous du vol et du chapardage. Rien d'important à première vue. Cette fois, c'était surtout la récidive à répétition qui était punie, car les délits reprochés n'étaient pas très graves pris isolément. Puis venaient deux aides du bourreau qui transportaient un chaudron de braises rougies.

Le groupe de Phoenix emboîta le pas à la charrette, en direction des Halles où se dressait le pilori. Après quelques minutes de marche, sous les quolibets de la foule qui accompagnait le supplicié depuis l'Hôtel de Ville, le jeune détective vit avec terreur se dresser devant lui une tour de pierre octogonale. Le dernier étage était percé de grandes fenêtres en arche. Phoenix devina plus qu'il ne vit les trous dans la planche de bois par lesquels on faisait passer la tête et les bras du condamné.

Au milieu de la tour, d'immenses voûtes laissaient voir une roue en bois, tournant sur un pivot. Le jeune détective tremblait de tous ses membres; il était incapable de maîtriser sa peur. La privation de sommeil et la faim ne l'aidaient pas à rester impassible devant une telle vision de cauchemar.

Il faut dire que le supplice n'avait rien de réjouissant. Le supplicié était attaché sur une roue portant de profondes encoches. Ses membres étaient disposés sur ces vides que le bourreau frappait avec une barre de fer de manière à briser les os du condamné. Les bras, avant-bras, tibias étaient fracassés un à un, puis le bourreau défonçait la cage thoracique. La roue était ensuite hissée en haut d'un mât, et le condamné, hurlant de douleur, le visage tourné vers la terre, les membres brisés, devait rester ainsi, pour faire pénitence, selon la bonne volonté du Seigneur, c'est-à-dire jusqu'à ce que mort s'ensuive.

— Tremble, carcasse! se moqua Guillaume Cassinel en constatant que Phoenix vacillait. Tu vois ce qui t'attend, mon gaillard!

Pétrifié d'effroi, Phoenix n'avait pas vu que l'homme prisonnier de la charrette était maintenant agenouillé entre ses gardes et que le bourreau lui appliquait le fer dans le bas du dos. Un hurlement de douleur s'éleva, qui vrilla les tempes du détective.

La rage au cœur, serrant les dents jusqu'au sang pour ne pas hurler à son tour, Phoenix était abattu. Il ne pouvait rien faire pour sauver cet homme. La moindre intervention en faveur du supplicié lui vaudrait à coup sûr de partager le même sort.

— Geoffroi le sueur, clama le hérault, tu es également condamné à rester trois jours consécutifs de marché, durant deux heures par jour, sur la roue.

— De demi-heure en demi-heure, on fera tourner la roue pour l'exposer de tous les côtés, ricana un garde aux oreilles de Phoenix. Et il est même permis de lui jeter de la boue et des ordures!

— Allez! Le Châtelet vous attend, messire le Chevalier du Phénix, fit brusquement le sergent d'armes sur un ton ironique, tout en piquant sa lance dans le bas du dos de son prisonnier pour le forcer à se remettre en marche.

— Phoenix! s'exclama quelqu'un dans son dos.

Reconnaissant la voix, le détective du Temps pivota avec confiance pour regarder derrière lui. Malheureusement, le jeune Robin, l'élève de maître Flamel, était seul. Un instant, le détective avait eu le fol espoir que le célèbre copiste était en train de voler à son secours.

— Robin, cours prévenir maître Flamel, vite! On m'emmène au Châtelet. Je n'ai rien fait, dépêche-toi!

— Silence! hurla le sergent en lui piquant les côtes de sa lance.

Heureusement, Robin avait entendu l'appel et comprit le danger qui guettait l'ami de son maître. L'enfant évita de justesse la poigne d'un soldat qui tentait de se refermer sur son cou et fonça dans la foule pour s'y frayer un passage. Tête baissée, il écartait du poing ceux qui se mettaient en travers de sa course. Mais, alors qu'il pensait bien avoir réussi à s'extirper de la populace, Robin trébucha sur le pied qu'un marchand avait tendu devant lui pour le faire chuter. L'enfant boula sur lui-même dans la boue et se retrouva entre les pattes d'un cheval gris qui se cabra, passant près de l'écraser.

— Que se passe-t-il ici? gronda le seigneur monté sur l'animal, sans s'occuper de l'enfant qui se relevait péniblement.

— On emmène ce voleur d'enfants au Châtelet, messire! expliqua Cassinel avec la déférence due à ce haut personnage de la cour.

Phoenix se retourna pour faire face au nouveau venu. La surprise le laissa bouche bée.

— Le Chevalier du Phénix! s'exclama le seigneur avec stupéfaction.

Pierre de Cramoisy, qui avait assisté de loin au supplice de Geoffroi le sueur, un ouvrier travaillant le cuir après le tannage, dirigea son cheval vers la troupe de gardes.

— Quelqu'un peut me dire ce que vous faites là? interrogea le maître des requêtes, ébahi de découvrir le jeune homme qu'il connaissait bien maintenant.

— C'est-à-dire, messire, qu'on l'a pris avec deux enfants dérobés rue de Maudétour... commença le sergent d'armes d'une voix où perçait un accent de crainte, car il avait parfaitement reconnu le chambellan du roi.

— C'est ridicule! Savez-vous à qui vous avez affaire? gronda Pierre dit le Hutin en dévisageant Phoenix d'un œil dur.

«Heureusement que je connais son secret, songea le détective. Si je n'avais pas vu Flamel lui remettre la fiole de poussière dorée, je suis certain qu'il me laisserait entre les mains du bourreau... Mais il a trop peur que je parle et que je l'entraîne dans ma chute. Me savoir chevalier, moi qui ne suis pas noble, doit aussi lui rester en travers de la gorge. S'il le pouvait, il m'abandonnerait à mon triste sort.»

Les gardes commencèrent à s'écarter du prisonnier. Certains d'entre eux se rendaient compte qu'ils avaient peut-être commis une terrible erreur. Ils redoutaient la réaction du maître des requêtes, car sa réputation de querelleur n'était plus à faire.

— C'est le Chevalier du Phénix, le sauveur du Roi! brailla finalement le chambellan. Je vous somme de le relâcher sur-le-champ!

Phoenix poussa un soupir de soulagement, tandis que le sergent avalait difficilement sa salive. Cette méprise risquait de l'entraîner directement à l'endroit où il comptait livrer son prisonnier, c'est-à-dire dans une cellule du Châtelet. Et, songeait-il, il s'estimerait chanceux s'il n'était pas marqué au fer rouge à son tour.

Au ton employé par Pierre de Cramoisy, le voyageur du Temps comprit que le maître des requêtes allait prononcer un arrêt de rigueur contre Guillaume Cassinel. Il était temps d'intervenir, car Phoenix ne voulait pas être la cause d'un malheur, et surtout il pouvait avoir besoin du sergent d'armes plus tard. Si cette occasion se présentait, autant bénéficier de sa reconnaissance.

— Merci, messire de Cramoisy ! Ne jugez pas mal ce brave sergent d'armes qui n'a fait que son devoir. Il ne pensait pas à mal. Même s'il m'avait emmené au Châtelet, les choses se seraient éclaircies là-bas. Je ne risquais rien.

Malgré la vigueur de ses propos, Phoenix n'était pas si sûr que cela de ce qu'il disait, mais il ne voulait pas être la cause d'un supplice inutile. Il en avait assez vu au marché aux Pourceaux pour savoir que la justice n'était pas tendre à cette époque.

Ayant perçu des éclats de voix lors de l'échange entre les gardes et l'important personnage à cheval, la populace s'était rapprochée pour mieux comprendre ce qui se passait. Les uns disaient qu'un prisonnier s'était échappé, d'autres juraient leurs grands dieux qu'une haute personnalité allait être brûlée vive, un spectacle dont ils avaient été privés depuis longtemps. Bref, la rumeur enflait et le peuple s'excitait.

Remis de ses émotions, Robin avait profité de la cohue pour filer, sans s'apercevoir que Phoenix était sauf. Il n'avait qu'un seul but en tête : prévenir maître Flamel.

Lorsqu'on s'aperçut que Phoenix avait été victime d'une erreur, plusieurs regrettèrent à voix haute l'intervention du sire de Cramoisy, et parmi les plus véhéments, Enguerrand et Baudoin, deux personnages louches que le jeune détective se souvint avoir vus, la veille, en train de s'enivrer avec le duc d'Égypte et l'Archisupôt. Cette fois, il sut déceler chez le premier les fausses plaies du malingreux, et chez le second, la prétendue claudication du piètre. Les gueux avaient retrouvé sa piste.

Pierre de Cramoisy toisa encore une fois le sergent d'armes, puis le chassa d'un geste de la main. La douzaine de gardes ne se fit pas prier plus longtemps pour décamper.

— Je ne sais comment vous remercier, sire de Cramoisy, déclara Phoenix en amorçant un profond salut.

— En faisant attention à vous, jeune homme! Je ne serai pas toujours là pour vous sauver des mains des gardes du Roi.

Puis, hautain et fier, le chambellan fit tourner bride à sa monture. La populace s'écarta rapidement de sa voie, car le cavalier ne cherchait pas à l'éviter, au risque de provoquer un accident.

Laissé seul au milieu de gens qui le dévisageaient encore avec suspicion, le détective jugea plus prudent de quitter lui aussi les lieux rapidement avant que quelqu'un ne s'avise de le prendre à parti.

Il aperçut alors les deux francs-mitoux* qui avaient assisté à toute la scène et qui s'éloignaient en catimini. Il décida de les suivre, car, à première vue, ils ne se dirigeaient pas du tout vers la Cour des Miracles. « S'ils vont rejoindre Thomas le Long, j'ai peut-être une chance de récupérer mon médaillon! »

Phoenix suivit Enguerrand et Baudoin en se dissimulant au milieu de la foule des marchands qui encombrait les rues. Il dut ainsi traverser toute l'île de la Cité, puis le quartier bruyant et mal famé des Écoles, encombré d'étudiants avinés, dissipés, sans-le-sou et bagarreurs.

Il se retournait souvent et sursautait au moindre bruit, craignant toujours que quelqu'un ne lui cherche querelle ou n'essaie de le détrousser. Heureusement, sa prestance, sa haute taille, ses yeux mauves impressionnaient suffisamment pour tenir à distance les fauteurs de troubles. Il avait néanmoins hâte de quitter ce quartier et surtout de voir où l'entraînaient les deux brigands. Il aperçut enfin la porte Saint-Victor et comprit qu'ils allaient franchir les remparts de Paris.

« Peste ! Je ne connais pas le plan de la ville en dehors des murs. J'espère que nous n'irons pas trop loin, car je risque de me perdre ! »

Tout juste après avoir franchi les portes, il remarqua avec angoisse que la population se faisait plus clairsemée. Il allait lui être plus difficile de se dissimuler. Il aperçut alors un amas de pavés. C'était là, près des fossés qui entouraient les fortifications, qu'étaient entreposées une partie des pierres qui devaient servir à paver les rues de la capitale. Il s'empara d'une brouette et s'empressa d'y déposer quelques dalles déjà taillées. Avec ce chargement, on le prendrait plus facilement pour un ouvrier des carrières.

« Bon, j'espère qu'on n'aura pas des kilomètres à franchir, parce que cette satanée brouette n'est ni stable ni légère. Et je ne suis pas un forçat, moi ! »

CHAPITRE 14

Les deux bandits avançaient rapidement sur un chemin boueux et impraticable. Gêné par son chargement, Phoenix devait se contenter de les surveiller à distance. À plusieurs reprises, la roue avant de sa brouette s'était prise dans une ornière et il trébuchait de plus en plus souvent. Il devait également céder le passage régulièrement à des charrettes de marchandises tirées par des bœufs qui se dirigeaient vers la capitale.

— Écarte-toi, gueux! hurla le chef d'une troupe de cavaliers en fonçant directement sur lui au galop.

Phoenix eut juste le temps de se jeter dans un fossé envahi de givre. Puis il releva les yeux pour voir où étaient Enguerrand et Baudoin. De stupeur, il se figea sur place. Ils avaient disparu. Abandonnant son chargement, il se mit à courir à toutes jambes en direction du dernier endroit où il les avait aperçus quelques instants plus tôt.

Après avoir contourné un petit bois, il découvrit une carrière à ciel ouvert. Des ouvriers y étaient à l'œuvre, détachant le calcaire des parois à coups de masse. D'autres le taillaient en blocs selon les instructions des constructeurs, tandis que d'autres encore hissaient ces blocs sur des chariots pour les rouler hors de la carrière vers des lieux de stockage. Cris, appels, bruits de taille, chants des ouvriers : la cacophonie régnait aux abords du chantier.

Un maître carrier l'interpella vivement :

— Au travail, fainéant !

— Non, non, je ne suis pas un ouvrier, tenta de le détromper Phoenix.

Mais ses vêtements tachés de boue et de calcaire indiquaient tout le contraire. Comment pouvait-il prétendre être un écrivain ou même le Chevalier du Phénix avec une telle apparence ?

— Viens ici, tire-au-flanc ! reprit l'homme bourru, et mets-toi au travail sans protester.

Le chef du chantier lui plaça un lourd marteau dans la main et le poussa vers la cavité. C'est là que Phoenix retrouva brièvement la trace des deux gueux de la Cour des Miracles. Il les aperçut au fond de la carrière, en train de se faufiler dans une galerie.

Sans plus se faire prier, il obéit à l'ordre du maître carrier et dévala les degrés taillés dans le calcaire qui menaient au fond de la carrière. Puis, s'assurant que personne ne faisait plus attention à lui, il s'enfonça dans la galerie qu'avaient empruntée Enguerrand et Baudoin.

Il croisa quelques ouvriers qui remontaient des blocs de pierre et d'autres qui descendaient en chercher, mais aucune trace des bandits. Plus il avançait dans le souterrain, plus il faisait noir. Heureusement, les carriers avaient disposé des torches à intervalles réguliers pour faciliter leur ouvrage. Il avançait lentement sous terre, mais c'était un tel labyrinthe qu'il craignait à tout moment de s'égarer.

— Je suis nouveau, déclara-t-il finalement à un groupe d'hommes qui s'affairaient à prélever du calcaire en ouvrant un nouveau passage. Quelqu'un peut-il me dire comment m'orienter dans ces galeries ?

— Tu n'as qu'à suivre les flèches noires tracées avec du charbon bois sur les parois. Va toujours dans le sens de la pointe de la flèche, tu ne te perdras pas !

Phoenix les remercia et reprit sa progression, mais comme il lui était impossible de repérer le chemin pris par les deux gueux, dépité, il fit demi-tour.

— Existe-t-il d'autres sorties ? demanda-t-il, en retrouvant l'air libre, à un tailleur de pierre qui chargeait un bloc sur son chariot.

— Plusieurs, mon garçon ! Il y a des lieues et des lieues de souterrains. Que cherches-tu ?

— J'ai un message pour deux amis qui sont employés dans cet endroit.

— Si tu ne sais pas dans quelle galerie ils travaillent, tu ne les retrouveras pas comme ça, continua l'ouvrier.

Voyant le découragement sur le visage de son interlocuteur, le carrier le prit par les épaules.

— Allez, viens dîner ! Si tes deux compères sont entrés dans ce chantier par cette cavité, ils vont forcément ressortir par ici. Ils ne doivent pas être bien loin.

Phoenix s'installa à côté du carrier, qui lui dit s'appeler Gaspard, et lui désigna une solide ménagère qui se dirigeait vers eux.

— Tiens, voici ma femme qui m'amène un panier de victuailles, on va partager !

Pendant tout le repas, constitué surtout de cochonnailles* et de pain, Phoenix surveilla l'entrée de la galerie par où

145

Enguerrand et Baudoin s'étaient enfoncés sous terre, mais il ne les vit pas ressortir.

Gaspard reprit son travail et Phoenix l'accompagna dans les souterrains, espérant toujours retrouver la trace des deux gueux. Mais le temps passait et ils restèrent invisibles.

« Ils doivent sûrement se terrer quelque part pour que les ouvriers ne leur tombent pas dessus, songea Phoenix. Je suis presque sûr qu'une fois la nuit venue ils vont s'adonner à leurs activités souterraines. Ces galeries constituent d'excellentes cachettes. Je me demande bien ce qu'ils sont venus faire ici. Sûrement des choses pas très catholiques ! »

Finalement, le soir tombant, les carriers ramassèrent leurs outils, les glissèrent dans leur sac, et s'en allèrent un à un du chantier.

— Allez, mon gars, il faut remonter à la surface, l'enjoignit Gaspard en le prenant par les épaules et en le poussant devant lui. Tes amis sont sans doute partis à ton insu. Reviens demain et tâche de savoir le métier qu'ils exercent sur le chantier, tu les retrouveras plus facilement.

— Mais… protesta mollement Phoenix, découragé.

S'il ne finissait pas bientôt sa mission, le SENR lui enverrait sans doute un autre agent en soutien. Et il n'y tenait absolument pas ! De plus, il lui fallait encore récupérer Politeia, faute de quoi il resterait coincé au XIVe siècle jusqu'à ce que le SENR intervienne. Un tel accroc lui était déjà arrivé dans une mission précédente, au début de sa carrière, et il n'avait toujours pas digéré l'humiliation qu'il avait ressentie en voyant un autre voyageur du Temps surgir pour le récupérer.

— Pas de mais, chuchota Gaspard. Il ne faut pas traîner par ici le soir venu. C'est dangereux. Les galeries servent d'abris à des gueux et même de dépôts de marché noir. Parfois, certains coupe-jarrets les utilisent pour éviter les patrouilles des hommes du guet. Allez, viens!

«Ah, ah, voilà l'information qu'il me fallait. J'aurais dû y penser moi-même. Enguerrand et Baudoin sont probablement venus récupérer le produit de leurs rapines... Mais je suis presque sûr qu'il y a autre chose là-dessous! Ils sont assurément liés à Thomas le Long et à ses trafics de monnaie.»

Pour ne pas contrarier son nouvel ami, Phoenix se laissa entraîner vers l'extérieur. Puis, à la limite de la carrière, il se sépara de Gaspard qui se dirigeait vers la porte Saint-Victor. Phoenix prétexta résider en dehors des murs de Paris pour lui fausser compagnie. Après s'être assuré qu'aucun ouvrier n'était resté dans la carrière, le détective retourna vers les galeries.

Il détacha une torche à l'entrée du souterrain et s'en servit pour rallumer les feux à présent éteints qu'il croisait sur son chemin. Procédant avec méthode, il arpenta un premier tunnel le plus loin qu'il put, l'oreille aux aguets. Comme rien ne lui permettait de soupçonner la présence de qui que ce soit dans les parages, il fit demi-tour et, toujours avec la même minutie, explora une deuxième galerie. Toujours rien.

Il en était au septième souterrain, l'un des plus longs, qu'il explorait déjà depuis près d'une heure, lorsqu'il sentit un courant d'air froid et vit la flamme de sa torche vaciller. Il approchait d'une sortie. Il s'y rendit et se retrouva dans une carrière à ciel ouvert moins profonde que celle qu'il connaissait déjà. Cette fois, il faisait vraiment sombre à l'extérieur.

Il escalada les parois de la carrière et se retrouva sur un chemin cahoteux qui serpentait vers la forêt. Il explora des yeux les alentours. Non loin, sur sa droite, tout au bout du sentier, il vit de la fumée qui montait des âtres d'un minuscule hameau de quatre ou cinq maisons. Des vaches meuglèrent dans leur étable. Il aperçut un garçon d'une quinzaine d'années qui se hâtait d'enfermer trois ou quatre moutons dans un enclos.

Phoenix allait redescendre dans la carrière, quand un hurlement atroce en provenance des galeries le pétrifia sur place.

« Peste ! Qu'est-ce que c'est ? On dirait qu'on égorge quelqu'un ! »

N'écoutant que son courage, ou peut-être son inconscience, Phoenix se précipita pour redescendre dans la carrière, lorsqu'une femme l'interpella d'une voix remplie d'effroi :

— Vite, jeune homme ! Aidez-nous !

La dame qui l'avait hélé était une religieuse d'une soixantaine d'années qui clopinait dans sa direction.

— Venez vite ! Notre chariot a versé sur le chemin à une centaine de mètres dans la forêt.

Phoenix courut vers la sœur, qui le conduisit vers le lieu de l'accident. Il aperçut le conducteur qui tentait de réparer une roue qui avait glissé de son essieu. Il s'adossa au chariot pour le lever, pendant que le bouvier remettait la roue en place.

— Que faites-vous par ici, mes sœurs ? demanda Phoenix en constatant que quatre couventines se serraient les unes contre les autres en attendant de remonter dans leur véhicule tiré par un bœuf.

— Nous regagnons notre abbaye, et sans ce bris nous y serions déjà ! reprit la religieuse qui se présenta sous le nom de mère Marie-Fleurette. Maintenant nous allons devoir trouver refuge dans le hameau. Venez avec nous ! Il ne faut pas rester dans le coin une fois la nuit tombée.

Phoenix hésita à se présenter. Devait-il se faire connaître en tant que Chevalier du Phénix ou simplement comme un simple apprenti écrivain ? Heureusement, mère Marie-Fleurette avait du bagout* et ne lui laissa pas le temps de dire un mot pendant le trajet vers le village, ce qui lui permit de rester muet sur son identité.

— Ne savez-vous pas qu'il ne faut pas traîner les chemins à une heure aussi indue ? dit la sœur.

Un hurlement, à glacer le sang comme le premier, l'interrompit. Mère Marie-Fleurette et ses compagnes se signèrent à plusieurs reprises, en murmurant des prières. Le bouvier tenta de faire accélérer son gros bœuf, tout en gémissant des propos décousus à propos du diable qui hantait ces lieux.

Ils arrivèrent dans le hameau. Le conducteur du bœuf alla frapper à l'huis d'une masure et demanda la charité d'un abri pour la nuit au nom de l'abbesse. On les fit entrer précipitamment.

Après qu'ils eurent ôté leur houppelande, les cinq religieuses, le bouvier et leur nouvel ami furent conduits à une table basse où on leur servit une soupe épaisse et brûlante.

— Le diable aime les endroits sombres et privés de lumière, murmura mère Marie-Fleurette… et particulièrement cette carrière !

— Toutes les nuits, on y voit se promener des spectres traînant des chaînes… intervint le maître de maison. Ce sont eux qui poussent ces hurlements qui nous tiennent enfermés à double tour dans nos maisons.

— J'ai même vu un monstre vert portant une grande barbe blanche. C'était une sorte de serpent à tête d'homme, et il maniait une massue pour assommer les gens, avança le garçon que Phoenix reconnut comme étant celui qu'il avait vu de loin parquer ses moutons.

— Moi, j'ai vu un chariot enflammé faire le tour de la carrière, confia la mère de famille. C'est le diable qui le conduisait. Il tordait le cou à tous ceux qui se trouvaient sur son passage.

Phoenix sourit imperceptiblement tout en mangeant son pain trempé dans le potage, car il savait que les superstitions étaient monnaie courante au Moyen Âge. Toutefois, toutes ces descriptions de diables, de monstres et de visiteurs de la nuit renforçaient ses convictions. « Je suis sûr que ce sont les brigands qui pullulent dans les carrières qui entretiennent ces croyances déraisonnables. Ainsi, ils peuvent s'adonner à leur trafic en toute impunité. Pas un paysan n'ira voir de quoi il retourne. Ils ont tous bien trop peur pour s'y aventurer ! »

Les religieuses furent invitées à s'étendre dans le grand lit de la famille, tandis que celle-ci s'allongea à même le sol de la cuisine, sur de la paille que l'on étendit devant l'âtre. Comme il n'y avait pas assez de place pour tout le monde dans l'étroite demeure, le détective préféra rejoindre le bouvier dans l'écurie. Il attendit d'entendre son compagnon ronfler pour se glisser dehors. Comme il faisait froid, Phoenix s'enroula dans la couverture miteuse que lui avaient donnée ses hôtes : ils avaient remarqué qu'il ne portait pas de manteau et l'avaient pris pour un pauvre.

CHAPITRE 15

À travers bois, au cœur de la nuit, Phoenix se hâta de retourner à la carrière et, sans perdre de temps, se glissa dans la galerie par laquelle il avait émergé plus tôt. Les torches qu'il avait allumées étaient éteintes.

« Bon, quelqu'un est venu récemment ! Je dois rester sur mes gardes ! »

Il entendit encore des hurlements effrayants, mais ne s'en occupa pas. Il tendait plutôt l'oreille pour découvrir des traces d'activités humaines. Après quelques minutes de concentration, il finit par en percevoir. Ça frappait, ça cognait…

Il suivit le bruit en cheminant dans le noir, car il ne voulait pas qu'une lumière vînt trahir sa présence. Il marcha ainsi tout au plus cinq minutes, puis emprunta sur sa gauche une galerie qu'il ne connaissait pas encore. Il entendait les cognements de plus en plus distinctement. Finalement, il arriva à l'entrée d'une grotte. Prenant mille et une précautions, il réussit à se glisser entre la paroi et un gros coffre de bois ouvert.

Dans le fond de la grotte, deux énormes feux étaient alimentés par un soufflet, et il y avait au-dessus de chacun d'eux un chaudron où bouillonnait un liquide quelconque qu'il ne put identifier. Enguerrand et Baudoin, le torse nu et en sueur, s'affairaient autour des feux.

Brusquement, le premier se dirigea directement vers Phoenix, qui s'écrasa à plat ventre contre le sol en retenant sa respiration. Le détective entendit Enguerrand fouiller le coffre. Le gueux y plongea les mains et en retira deux grosses poignées de pièces d'or. Lorsqu'il s'éloigna vers le chaudron, Phoenix comprit ce qui se passait. « Ils sont en train de fondre de vraies pièces d'or, et ils vont sûrement y ajouter de l'or de moindre qualité pour en diluer la concentration. Ainsi, avec une quantité d'or pur plus faible que celle utilisée par les ateliers royaux, ils fabriqueront beaucoup plus de pièces de monnaie ! »

Il espionna ensuite Baudoin. Celui-ci, au lieu d'utiliser beaucoup d'argent et un peu de cuivre pour fabriquer ses deniers, comme il se devait, faisait tout le contraire : il additionnait beaucoup de cuivre et peu d'argent, ce qui était une des manières les plus habituelles de contrefaire la monnaie légale.

Soudain, Thomas le Long et Aalis la Blonde firent leur apparition dans la grotte. Phoenix s'écrasa derrière le coffre de bois et tressaillit en voyant son médaillon autour du cou de la marjaud. S'il ne craignait pas qu'on se saisisse de lui, il aurait activé Politeia à l'instant même. Mais il estima que la surprise serait de courte durée pour de tels durs à cuire et que, à quatre contre un, il ne ferait pas le poids, même s'il recourait aux arts martiaux qu'il maîtrisait bien. « De toute façon, ce sera plus facile d'apprendre ce qu'ils trafiquent s'ils ignorent ma présence. Patience, Phoenix, patience ! »

— J'ai fabriqué de nouveaux moules pour couler les pièces, dit le changeur en déposant le sac qu'il portait sur l'épaule. Ça ira plus vite que de les graver une par une !

— Tu es sûr de toi, hein, mon compère ? rigola Enguerrand en disposant les moules sur une plate-forme montée sur des tréteaux de bois.

— Flamel ne pourra pas s'en sortir cette fois ! ajouta Baudoin en puisant de l'or en ébullition dans le chaudron à l'aide d'une immense louche.

Le vaurien versa alors le liquide en fusion dans les moules. Les faux-monnayeurs poursuivirent leur besogne en riant du tour qu'ils comptaient jouer à l'écrivain.

— Je vais me faire passer pour une couventine et commander un ouvrage à maître Flamel. Il ne me restera plus qu'à le payer avec cette monnaie de singe, leur confia Aalis.

— Toi, te faire passer pour une couventine ? Eh bien, il y aura du travail à faire pour réussir ce tour de force ! la railla Enguerrand.

Et toute la bande éclata de rire.

— Une fois que Flamel sera en possession de notre fausse monnaie, je ferai prévenir le prévôt de Paris, par dénonciation anonyme, expliqua Thomas le Long. Jean de Folleville convoquera un changeur ou un orfèvre pour faire l'expertise de la monnaie, et notre homme sera fait comme un rat.

— Je ne comprends pas pourquoi on se donne tout ce mal ! protesta Baudoin en soufflant comme un phoque tout en maniant sa louche.

— C'est vrai, soupira Enguerrand. Tu peux appeler le prévôt et dire que Flamel fait de la fausse monnaie. Tu n'as plus ensuite qu'à procéder toi-même à l'expertise de son or et l'accuser. Folleville n'est pas un expert en monnaie, il te croira sur parole. Tu es un changeur patenté par le roi.

— Je ne veux pas que mon nom soit mêlé à cette histoire, rétorqua Thomas le Long. Et puis, imaginez une minute, si Folleville demande une contre-expertise… un nouvel orfèvre pourrait me contredire et je serai dans de sales draps. Non. Procédons selon mon plan, c'est plus sûr !

— Une fois Flamel, sa femme, ses servantes et ce satané Chevalier du Phénix enfermés au Châtelet, la maison sera à nous, continua Aalis.

— Il ne nous restera plus qu'à la fouiller pour trouver *Le Livre d'Abraham le Juif* et surtout l'atelier d'alchimiste, continua Thomas le Long. Je suis sûr que le bonhomme s'adonne à ses manipulations secrètes dans une pièce secrète.

— Une fois que nous aurons mis la main sur son athanor, ses matras et tout son équipement, et surtout sur sa recette, nous serons riches, immensément riches ! s'emporta Enguerrand.

Dans son allégresse, il bouscula Baudoin au moment où ce dernier était en train de verser une autre louche d'or altéré dans des moules. Le faux-monnayeur versa le liquide en fusion par terre, ce qui déclencha la colère de Thomas le Long.

— Faites donc attention à ce que vous faites ! L'or coûte cher, n'allez pas gâcher notre matière première !

Ses deux acolytes se calmèrent aussitôt, car ils redoutaient les accès de fureur de leur chef.

Thomas le Long s'approcha des cinq premiers moules, qui comportaient chacun une douzaine de cavités. La matière avait durci. Il plongea les moules dans de l'eau froide pour accélérer la prise du métal, et repêcha d'autres pièces qu'il examina scrupuleusement.

— On n'y verra que du feu! fit-il. À nous deux, Nicolas Flamel!

Phoenix en avait assez vu et assez appris. Il fallait prévenir l'écrivain. Mais comment entrer dans Paris en pleine nuit? Les portes étaient fermées, et il était impensable de pénétrer dans la ville. S'il cherchait à escalader les remparts, il serait capturé ou, pire, tué par les hommes de guet qui avaient ordre de ne laisser passer personne.

L'enquêteur se glissa dans la galerie, sortit de la carrière et retourna sagement se coucher auprès du bouvier qui ronflait toujours. À la première heure, il se précipiterait à l'échoppe de la rue des Escrivains.

* * *

Phoenix poussa la porte de l'échoppe *À La Fleur de Lys* alors que la cloche de Saint-Jacques-la-Boucherie sonnait huit heures. Il faisait très froid ce matin-là, les fenêtres étaient demeurées closes et l'écrivain s'était réfugié près de l'âtre, en compagnie du jeune Robin, comme toujours appliqué à suivre les conseils de son maître.

L'apparition inattendue du détective fit sursauter maître Flamel.

— Je ne vous attendais plus, jeune homme! lui reprocha Nicolas sur un ton bourru où perçait néanmoins le soulagement de voir son apprenti vivant et en bonne santé.

— Chevalier du Phénix! J'ai couru, j'ai couru… le plus vite que j'ai pu et j'ai ramené maître Flamel, mais vous n'étiez plus au marché aux Pourceaux, s'excusa le jeune Robin en se précipitant vers son condisciple.

— Le sire de Cramoisy m'a libéré des griffes du sergent d'armes, expliqua Phoenix, et je ne suis pas resté sur place plus qu'il n'était nécessaire.

— Mais où étiez-vous donc passé? le gronda encore l'écrivain. Pernelle et moi étions morts d'inquiétude. Puis s'adressant à Robin : Va quérir Dame Flamel.

L'enfant fila, traversa la rue et entra en trombe dans la maison de la rue de Marivas.

Mise au courant du retour de Phoenix, Pernelle jeta un carré de laine sur ses épaules et se précipita à son tour *À La Fleur de Lys*.

Malgré ses réticences, Pernelle s'était attachée à ce jeune homme si étrange qui, finalement, ne leur avait causé aucun tort. Sa disparition lui avait causé bien des maux, et sa joie de le revoir n'était pas feinte. Elle s'était réellement inquiétée pour lui en son absence, faisant même taire sa méfiance naturelle.

— Jeune homme, nous vous avons cherché partout! s'écria Pernelle en serrant Phoenix contre sa poitrine. Nous nous sommes même rendus au Châtelet…

— … et au Louvre pour demander l'intervention du capitaine Regnault d'Angennes… continua Flamel.

— Votre disparition a fait beaucoup de bruit, confirma Robin. Même à la cour, on ne parle que de cela. Le roi a été averti, et les hommes du guet ont ordre de vous retrouver.

— Le sire Cramoisy n'a pas dit qu'il m'avait fait libérer? s'étonna le détective.

— Bien sûr que si, mais personne n'a pu dire où vous étiez passé ensuite ! répliqua Flamel. On a cru que les marauds de la Cour des Miracles vous avaient de nouveau enlevé.

— Ah, vous êtes aussi au courant de mon enlèvement par le Grand Coësre, fit Phoenix.

— Les deux enfants dérobés, Clothilde et Philibert, ont retrouvé leurs parents et leur ont raconté ce qu'ils avaient vu là-bas. Ils nous ont fait prévenir. Vous avez eu beaucoup de chance d'en sortir indemne.

— Certains restent entre leurs mains pendant des années et d'autres y meurent, soupira Pernelle en couvant le détective d'un regard maternel.

— Écoutez-moi, maître Flamel, si j'ai passé la nuit loin de vous, c'est pour une bonne cause ! Sachez d'abord que les gueux de la Cour des Miracles veulent vous dérober *Le Livre d'Abraham le Juif.*

— Ce n'est guère surprenant, fit Pernelle. Dreue et Mahiet nous ont raconté les menaces qui pèsent sur eux à ce sujet, et aussi que vous aviez décidé de les aider.

C'était justement les confidences des deux copistes qui avaient amené Pernelle à lever les derniers soupçons qu'elle entretenait encore à l'encontre de Phoenix.

— Pour leur sécurité, j'ai dû me séparer de ces deux bons garçons, qui sont aussi de très bons employés, regretta Flamel. Dorénavant, ils travailleront pour un ami, maître Ansel Chardon, libraire comme moi.

— Ah, tant mieux ! soupira Phoenix. En les soustrayant aux pressions des gueux, vous les éloignez aussi de la tentation de vous trahir. Mais vous n'êtes pas à l'abri pour autant. J'ai surpris un complot qui vise à vous discréditer et à faire main basse sur votre maison et vos échoppes.

Et Phoenix raconta dans le menu détail tout ce qu'il avait vu et entendu dans les galeries des carrières.

— Ah, que faire? s'inquiéta Flamel.

— Il faut refuser toute commande durant les prochains jours afin de ne pas tomber dans ce piège, lui conseilla Phoenix.

— Bonne idée! le remercia chaudement Flamel.

— Mais tu ne pourras pas refuser indéfiniment, reprit Pernelle. Il faudrait démasquer cette Aalis la Blonde.

— N'ayez crainte! Elle m'a volé quelque chose qui m'appartient et que je reconnaîtrai partout, déclara le détective. Cette marjaud voudra conserver mon médaillon autour du cou, quel que soit le déguisement qu'elle adoptera. Et lorsqu'elle se présentera, nous saurons la confondre.

* * *

Flamel et Phoenix n'eurent pas à patienter très longtemps. Dès le lendemain, le copiste reçut une commande d'une certaine abbesse Marie-Aalis, soi-disant de la ville de Tours, qui voulait se procurer un nouveau missel. Toutefois, la demande fut transmise par l'intermédiaire d'un carme. Ni la marjaud ni les complices de Thomas le Long ne se rendirent en personne à la boutique.

— Les idiots n'ont même pas pris la peine de modifier le nom de la marjaud, ricana Phoenix. Mais le changeur a fait preuve de prudence en passant par un intermédiaire.

— Veuillez dire à mère Marie-Aalis que je suis trop occupé en ce moment, s'excusa Flamel, un sourire en coin.

Toutefois, elle peut s'adresser à l'un de mes nombreux confrères qui seront heureux de faire ce travail pour elle.

Flamel prit une plume et écrivit les noms de trois ou quatre maîtres libraires de la rue des Escrivains.

— Tenez, voici les personnes qu'elle peut contacter de ma part, fit le copiste en tendant un papier au carme.

Le religieux repartit avec ce message qui, Phoenix en était sûr, ne ferait pas du tout l'affaire des faux-monnayeurs.

«Voilà une bonne chose de faite! se félicita Phoenix. Maintenant, c'est à mon tour de passer à l'attaque. Je dois récupérer mon médaillon. Pour ce faire, direction le pont aux Changeurs.»

— Maître Flamel, je dois de nouveau m'absenter quelques heures. Mais ne vous en faites pas, il ne m'arrivera rien de fâcheux, se hâta de préciser le détective lorsqu'il constata qu'un pli soucieux venait d'apparaître sur le front de l'écrivain.

— Soyez prudent quand même! lui lança Flamel lorsque Phoenix franchit la porte de l'échoppe pour se glisser entre les flocons de neige folle qui donnaient une apparence ouatée à la rue des Escrivains.

CHAPITRE 16

D'un bon pas, Phoenix se rendit au pont aux Changeurs, bien décidé à affronter Thomas le Long. Cette fois, le jeune détective en savait suffisamment sur les mauvaises actions du truand pour le faire pendre haut et court, et même pire, se dit-il, en revoyant en pensée le supplice auquel il avait assisté au marché aux Pourceaux. Cette idée le fit de nouveau frissonner d'effroi.

Thomas le Long était en train de procéder à des opérations de change avec deux marchands de draps flamands lorsque Phoenix vint se planter devant sa table. Le faux-monnayeur le toisa une seconde avant de reporter son attention sur ses clients. Il ne semblait pas du tout impressionné par la présence de celui qu'il considérait comme un simple apprenti copiste.

— Excusez-moi, messires, intervint Phoenix, interrompant ainsi la conversation entre les marchands et le cambiste. Savez-vous avec qui vous faites affaire?

Les deux marchands se retournèrent, à la fois étonnés et fâchés d'être interpellés aussi cavalièrement par un étranger. Mais Phoenix ne leur laissa pas le temps de répliquer. Déjà, il enchaînait :

— Thomas le Long est un filou, et vous risquez de vous retrouver avec de la monnaie de singe. Si j'étais à votre place, je porterais mes… Il s'interrompit pour regarder les pièces que les marchands venaient de déposer sur le tapis, et reprit : Je porterai mes gulden* à un autre comptoir.

Les deux marchands hollandais dévisagèrent Phoenix, qui leur fit un clin d'œil. Aussitôt, ils raclèrent le tapis et rempochèrent leur argent, avant de quitter le pont aux Changeurs comme s'ils avaient le diable aux trousses, en grommelant des insultes contre ces fieffés voleurs de Parisiens.

— Tu me le paieras ! maugréa Thomas le Long en rayant la transaction qu'il avait déjà commencé à inscrire dans son livre de compte.

— Écoute-moi bien, Thomas, car je ne le répéterai pas deux fois, fit Phoenix d'une voix ferme qui surprit son vis-à-vis. Je sais ce que tu trafiques dans les galeries des carrières avec tes complices Enguerrand le malingreux et Baudoin le piètre. Je peux te laisser continuer ton petit trafic, car après tout ça ne me regarde pas, mais je peux aussi te dénoncer. Je te propose un marché, mais je ne répéterai pas mon offre. D'abord, tu laisses Nicolas Flamel, sa famille et ses employés tranquilles, tu oublies jusqu'à leur existence, et tu me rends mon médaillon.

Thomas le Long ouvrit la bouche pour protester, mais le détective ne lui laissa pas l'occasion de l'interrompre.

— Je te donne une demi-heure ! Envoie quelqu'un chercher Aalis, car toi, je te garde à l'œil. Dans trente minutes, le sergent d'armes Guillaume Cassinel doit venir me rejoindre ici. Si Aalis ne m'a pas remis le médaillon d'ici-là, tu peux dire adieu à tes amis. Je lui raconterai tout ce que je sais, et tu seras bouilli vif au marché aux Pourceaux.

— Tu n'as pas de preuve! protesta Thomas le Long d'une voix blanche. J'appartiens à la corporation des changeurs, nous sommes renommés pour notre honnêteté... Je suis...

— Tu n'es rien du tout! Moi, je suis le Chevalier du Phénix, celui qui a sauvé le Roi d'une mort certaine, le protégé de messire de Cramoisy... lança le détective sur un coup de bluff. Qui penses-tu que l'on croira le plus? Surtout lorsque j'aurai guidé les hommes de guet jusqu'à ta cachette.

Les yeux de Thomas le Long lançaient des flammes, mais il adressa néanmoins un signe à un gamin des rues qui servait souvent de messager aux changeurs.

— Va chercher Aalis la Blonde, elle doit être dans la maison de la rue Bay le Hœu à cette heure-ci, ràmène-la!

Phoenix esquissa un sourire. Il savait cette rue très fréquentée par les ribaudes, qui y exerçaient le plus vieux métier du monde.

— Je te laisse à ton ouvrage en l'attendant, lança le détective, mais je reste à proximité. Alors ne t'avise pas de filer. Je t'ai à l'œil.

Le voyageur du Temps s'éloigna de quelques pas, et Thomas put de nouveau exercer son métier. Mais le cœur n'y était pas. Il bâclait ses transactions sans chercher à négocier son pourcentage, à la grande joie des deux ou trois marchands qui vinrent à sa table.

Moins de vingt minutes après être parti, le messager revint accompagné d'Aalis la Blonde. La marjaud sursauta en voyant Phoenix se diriger droit vers elle. Sans prononcer une seule parole, le détective lui arracha le médaillon du cou et le glissa dans la petite bourse qui pendait à sa ceinture.

— Au voleur ! hurla Aalis la Blonde, tout en se jetant sur Phoenix pour lui reprendre le bijou.

Furieuse, elle cherchait à le griffer aux yeux. Le détective éclata de rire en saisissant les mains de la gueuse, tandis que Thomas le Long intimait à son amie de cesser ce tapage sur-le-champ. La ribaude obtempéra, mais elle n'y comprenait rien. Pourquoi le changeur restait-il assis sur son banc de bois sans chercher à la défendre ?

— C'est bien, Marquise, continue comme ça ! railla Phoenix. Ton compagnon va énormément apprécier que tu attires les gens d'armes par ici. Puis, se tournant vers Thomas le Long, il exigea : Et maintenant, mon gaillard, tu vas me remettre quelques pièces de cette fausse monnaie que tu as si bien coulée et que tu destinais à maître Flamel.

Le changeur eut un mouvement de refus, mais le détective enchaîna :

— Dépêche-toi, le sergent d'armes va bientôt arriver ! Tu ne veux pas qu'il s'intéresse lui aussi à tes écus, pas vrai ? Et n'essaie pas de me refiler de la vraie monnaie, j'ai les moyens de faire vérifier les pièces.

D'une main tremblante, Thomas le Long ouvrit son coffre et fit glisser six écus d'or vers Phoenix, que ce dernier plaça avec le médaillon dans sa bourse.

— Chers amis, ce fut un plaisir de faire affaire avec vous, se moqua le détective. Mais ce sera un plus grand plaisir de ne plus jamais avoir de vos nouvelles… Adieu !

Il tourna les talons et Thomas le Long l'interpella :

— Tu n'attends pas Guillaume Cassinel ?

164

— Pourquoi déranger un sergent d'armes pour un simple coquillage? dit Phoenix en riant. Mais n'essaie pas de jouer au plus fin avec maître Flamel, car cette fois, je ne serai pas aussi bon prince.

Et il s'éloigna en sifflotant.

* * *

De retour dans sa chambrette, Phoenix activa Politeia avec empressement.

— Que puis-je pour toi? demanda l'hologramme. Mon capteur interne m'a signalé que je n'étais plus en ta possession depuis plusieurs jours. Que s'est-il passé en mon absence?

— Il n'y avait pas d'inquiétude à avoir, j'avais la situation bien en main! fit Phoenix en déposant les écus sur son lit et en plaçant le médaillon à côté d'eux. J'inclurai les détails de cette absence momentanée dans mon rapport. Pour le moment, revenons à nos moutons! Active le photospectrographe tridimensionnel et fais-moi une analyse des écus que voici. Ensuite, compare-les avec ceux que le grand-père de Faustine s'est procurés aux enchères.

— Très bien. C'est parti!

En quelques secondes, les photos furent prises et analysées.

— Ce sont six écus d'or de l'année 1393, déclara l'hologramme. À l'avers, on trouve l'écusson de France timbré d'un heaume couronné, et la légende : KAROLVS DI GRACIA FRANCORVM REX (Charles, roi des Francs par la grâce de Dieu). Sur le revers, il y a une croix fleurdelisée et feuillue, une rose à cinq pétales dans un losange aux lignes incurvées, le tout dans un quadrilobe autour duquel figurent quatre petites couronnes. On y lit la légende XPC VINCIT XPC REGNAT XPC INPERAT (Le Christ vainc, le Christ règne, le Christ commande).

— Trouves-tu des points d'authenticité ?

— Non, aucun poinçon sous le O de KAROLVS, ni au revers sous le V de VINCIT.

— Donc, ce sont bien les mêmes pièces que celles que le grand-père de Faustine a achetées ?

— Je termine l'analyse de la bactérie *Ralstonia metallidurans* pour te le confirmer. Quelques secondes plus tard, l'ordinateur continua : Oui, c'est bien la même composition. L'or de ces écus vient d'une rivière aurifère de la vallée de Combo-les-Bains dans les Pyrénées. Il n'est pas pur, mais mélangé avec du métal de mauvaise qualité…

— Bien, me voici donc en possession des fameuses pièces du grand-père de Faustine. Mais comment ont-elles pu se retrouver dans la maison que Nicolas Flamel fera construire dans quatorze ans seulement ?

Un coup frappé à la porte de sa chambre le tira de ses réflexions.

— Ouste, Politeia, disparaît ! lança-t-il abruptement.

L'hologramme s'effaça instantanément. L'enquêteur ouvrit la porte et découvrit le visage enjoué de Nicolas Flamel.

— Venez vite dans mon laboratoire, jeune ami, j'ai quelque chose à vous montrer !

Phoenix ramassa son médaillon et l'enfila autour de son cou ; il remit les écus d'or dans sa bourse tout en dégringolant les escaliers à la suite de l'écrivain.

La porte dérobée donnant sur le laboratoire de l'alchimiste était ouverte. Ils s'y glissèrent en la refermant derrière eux.

— Le Grand Œuvre est prêt maintenant, commença l'écrivain sur un ton solennel, en emmenant Phoenix devant l'athanor.

Le détective constata que le liquide blanc que contenait le matras s'était épaissi depuis la dernière fois qu'il l'avait vu, un peu plus d'une semaine auparavant.

— Comme je vous l'ai déjà dit, Dame Pernelle et moi en consommons deux fois par an seulement, donc je n'en fabrique que peu à la fois. Si vous voulez, vous pourrez en prendre également...

Flamel avait à peine fini de prononcer sa phrase que des bruits étranges retentirent de l'autre côté de la cloison. L'écrivain alla coller son œil à un trou percé dans le mur de pierre qui donnait directement sur la cuisine. De là, il pouvait surveiller ce qui se passait chez lui.

— C'est le sergent d'armes Guillaume Cassinel et Pierre de Folleville, le prévôt de Paris, fit Flamel avec inquiétude. Oh, oh! Et je vois aussi Thomas le Long derrière eux.

— Thomas le Long? Ah, le gueux, le roué, le fieffé coquin! s'exclama Phoenix. Il a quand même osé...

Flamel lui fit signe de parler plus bas.

— Est-ce vous qu'ils recherchent? s'inquiéta le copiste.

— Probablement... mais ce qu'ils recherchent avant tout, c'est ça!

Phoenix sortit les pièces d'or de sa bourse et les montra à maître Flamel.

— C'est de la fausse monnaie que Thomas le Long a coulée pour vous nuire. Si Cassinel et Folleville trouvent ces pièces en votre possession, les rumeurs à votre sujet se verront confirmées. Vous serez convaincu de fabrication de fausse monnaie et vous serez mis à mort. Ensuite, les truands pourront s'en donner à cœur joie pour fouiller votre maison…

— Mais que me veulent-ils à la fin? tempêta l'écrivain en se retournant vers son compagnon.

— *Le Livre d'Abraham le Juif.* Ils croient toujours que cet ouvrage vous a permis de fabriquer de l'or pur à partir de plomb. En s'assurant la possession du livre, le Grand Coësre et les truands de la Cour des Miracles se voient déjà plus riches et plus puissants que le roi.

— Pauvres fous! soupira Flamel. Il n'y a que l'or qui les intéresse, alors que le véritable secret est là, dans ce liquide concentré… Il ne faut pas que vous gardiez ces pièces avec vous. Donnez-les-moi, il faut les cacher dans ce laboratoire. Personne ne les trouvera jamais, faites-moi confiance!

Flamel déposa les faux écus dans un coffret de bois. Puis il s'approcha de son établi où reposait l'athanor.

— Aidez-moi à pousser cet établi, je n'y arriverai pas seul!

Phoenix et Flamel conjuguèrent leurs efforts pour pousser la lourde table de bois. Puis le libraire releva le tapis et découvrit une trappe de bois. Il l'ouvrit et mit au jour une cache creusée dans le sol de dalles du laboratoire. Il en retira un grand coffre où reposait *Le Livre d'Abraham le Juif.*

Pendant ce temps, dans la cuisine, le sergent d'armes et le prévôt houspillaient Margot la Quesnel, qui avait accouru en entendant du bruit dans la maison.

— Où est ton maître? l'interrogea Pierre de Folleville.

— Sûrement dans son échoppe, répondit la servante, même si elle avait remarqué que les chaudrons et les casseroles qui auraient dû pendre au mur du fond étaient déposés sur le sol, près de l'âtre.

Heureusement, même privée de sa protection d'ustensiles de cuisson, la porte dérobée était si bien conçue que rien ne la révélait de l'intérieur de la cuisine.

— Et le Chevalier du Phénix ? continua le prévôt.

— S'il n'est pas à l'échoppe, peut-être est-il en train de faire une livraison. Maître Flamel l'emploie comme coursier, continua la servante sans donner un seul signe de panique.

— Cet homme accuse le Chevalier du Phénix de vouloir écouler de la fausse monnaie, continua Guillaume Cassinel en désignant Thomas le Long. L'étranger vous a-t-il versé une pension pour le logement que vous lui assurez depuis son arrivée à Paris ?

— Non, sergent ! Messire Phoenix est un invité de maître Flamel, eut la présence d'esprit de répliquer Margot la Quesnel, en se disant que Cassinel voudrait sûrement examiner toute monnaie qui aurait pu être versée par le chevalier.

— Allez, toi, avance ! lança Cassinel à Thomas le Long, en le poussant vers la sortie d'un rude coup entre les omoplates. Et gare à toi si on ne trouve pas ces fausses pièces sur le Chevalier ou entre les mains de Nicolas Flamel.

Phoenix et l'écrivain entendirent la porte d'entrée se refermer derrière les trois visiteurs.

— Je ne pensais pas que Thomas le Long prendrait le risque de prévenir le prévôt. Ses deux acolytes ont probablement dû effacer toute trace de leur industrie dans les galeries… Ils s'en vont sans doute *À La Fleur de Lys*, déclara Phoenix.

— Qu'ils y aillent et qu'ils fouillent, s'amusa Flamel. Ils ne trouveront que des couleurs, des parchemins, des plumes et de l'encre… quoi de plus normal pour un écrivain ! N'ayez aucune inquiétude pour moi, j'en ai vu d'autres ! Mais vous, je vous conseille de ne pas rester à Paris, car le roi de la grande truanderie ne vous laissera pas tranquille de sitôt. On ne se moque pas impunément du Grand Coësre.

— Vous avez raison. Il vaut mieux que je me fasse oublier. Thomas le Long ne me laissera jamais en paix, et je crains qu'il n'organise un autre guet-apens dont je ne sortirai pas indemne.

— Tenez, messire Phoenix !

Flamel versa dans une fiole de verre un peu du liquide blanchâtre qu'il avait concocté, puis la tendit au détective.

— C'est ma façon de vous remercier d'avoir su déjouer le complot ourdi contre moi ! Faites-en bon usage ! Quant aux faux écus que vous m'avez remis, sachez que jamais ils ne me quitteront, en souvenir de vous. Peu importe l'endroit où je vivrai dans les années à venir, ce petit coffret de bois restera toujours à mes côtés.

Phoenix avala difficilement sa salive. Maintenant, tout s'éclairait pour lui. « Peste ! Et voilà pourquoi l'entreprise en bâtiment chargée de rénover la maison au *Grand Pignon*, sise 51, rue de Montmorency, a retrouvé les écus à cet endroit. Tout au long de sa vie, Flamel a tenu parole et a gardé ces fausses pièces avec lui, même quand il a fait bâtir sa nouvelle résidence. Eh bien, quand le SENR va savoir ça ! Et le grand-père de Faustine risque de faire une drôle de tête en lisant mon rapport. Heureusement, il ne saura jamais que c'est moi qui ai été désigné pour cette mission ! Et j'imagine très bien que, si Faustine apprenait ça, elle se moquerait bien de moi ! »

* * *

Deux heures plus tard, juste avant que l'homme de guet ne crie le couvre-feu, Phoenix salua une dernière fois ses amis Flamel, Margot la Quesnel et Colette, et même le petit Robin. Puis, bien emmitouflé dans un manteau fourni par son hôte, il remonta la rue de Marivas vers la rue des Escrivains et jeta un dernier coup d'œil à l'échoppe *À La Fleur de Lys*. Il se dirigea ensuite vers les rives de la Seine boueuse et nauséabonde. Il neigeait. Les derniers promeneurs parisiens se hâtaient de regagner leur logis en jetant un coup d'œil inquiet à cet étrange passant qui ne semblait pas pressé de rentrer avant le couvre-feu.

Immobile au bord de l'eau, Phoenix leva à la hauteur de ses yeux la petite fiole de verre que maître Flamel lui avait remise dans le laboratoire. Il l'agita pour faire danser le liquide blanchâtre. Il hésita une seconde. La tentation était forte d'emporter ce précieux élixir de vie et, plus encore, d'y goûter. Mais finalement, il se pencha au-dessus du fleuve et y déversa la matière magique que tous les hommes cherchaient depuis le commencement du monde : celle qui, aux dires de l'alchimiste, détruisait tous les maux et assurait à son possesseur la vie éternelle.

— Allez, Politeia, on rentre à la maison ! commanda-t-il enfin à son ordinateur en jetant un dernier regard sur le Paris médiéval.

ÉPILOGUE

De nos jours, certains chercheurs remettent en question l'existence même de Nicolas Flamel. Beaucoup pensent que, sous ce pseudonyme, se cachait un certain Jehan Flamel, secrétaire du duc Jean de Berry, qui a laissé de nombreux documents signés de son nom et des dédicaces d'ouvrages. D'autres, toutefois, prétendent que Jehan Flamel était tout simplement le frère aîné de Nicolas Flamel.

Des doutes planent également sur la fortune de Nicolas Flamel. De plus en plus d'historiens sont convaincus qu'il doit sa fortune aux Juifs qui ne sont jamais revenus d'exil. Cette thèse est cependant mise à mal par d'autres chercheurs qui font remarquer, à juste titre, que Nicolas Flamel était déjà riche avant que les Juifs soient chassés du royaume de France par Charles VI.

Enfin, la théorie de la transmutation des métaux a également ses adeptes. Ces derniers s'appuient sur le fait qu'il est tout à fait possible de transformer la matière grâce aux techniques modernes dont nous disposons aujourd'hui. Pour eux, aucun doute n'est permis. Les alchimistes du Moyen Âge auraient découvert un processus que la science moderne peut maintenant reproduire avec des accélérateurs de particules.

LES PRINCIPAUX PERSONNAGES HISTORIQUES

Nicolas Flamel

De 1382, année au cours de laquelle il aurait réalisé le Petit Magistère pour la première fois (le lundi 17 janvier), jusqu'à sa mort en mars 1417 (ou 1418 selon les sources), Nicolas Flamel vit sa fortune s'accroître considérablement d'année en année.

Au cours de son existence, le couple Flamel a doté de nombreuses églises et hôpitaux, a possédé d'innombrables immeubles d'habitation (une trentaine a été recensée) dans Paris et en banlieue, en plus de faire des donations considérables aux pauvres, aux églises, aux gens de lettres et même aux étudiants et aux artistes.

À son décès, sa fortune, considérable, fut évaluée à un million cinq cent mille écus. Nicolas Flamel fut enterré dans l'église Saint-Jacques-la-Boucherie, aujourd'hui détruite, et dont il ne subsiste que la tour que l'on peut encore voir dans le IVe arrondissement de Paris, desservie par les stations de métro Châtelet et Hôtel-de-Ville.

À la mort de Flamel, on fouilla de fond en comble sa maison de la rue de Marivas et celle de la rue Cour au Villain (51, rue de Montmorency), acquise en 1407 pour servir d'asile aux pauvres et surnommée *Grand Pignon*, pour trouver *Le Livre d'Abraham le Juif* ainsi que les richesses que l'on y croyait enfouies. En vain.

Deux siècles plus tard, le *Grand Pignon* fut de nouveau fouillé, et le rez-de-chaussée fut démoli pierre par pierre, toujours sans succès. Aujourd'hui, la maison de Nicolas Flamel à Paris est la plus vieille de la capitale et abrite un restaurant médiéval. En 1851, l'ancienne rue de Marivas, dans le IVe arrondissement de Paris, fut renommée rue Nicolas Flamel.

Au fil des siècles, de nombreuses rumeurs ont continué à courir sur la fortune de Nicolas Flamel, ainsi que sur l'élixir de longue vie qu'il aurait découvert grâce à l'alchimie. Ainsi, certaines personnes assuraient avoir vu Nicolas et Pernelle Flamel bien vivants au XVIIIe siècle, soit près de trois cents ans après leur décès, en Inde et même à Paris.

Pernelle Flamel

Dame Pernelle est morte le 11 novembre 1397 et a été enterrée au Charnier des Innocents. Son testament, par lequel elle léguait ses biens à son mari et à de nombreuses bonnes œuvres, fut attaqué en justice – sans succès – par sa sœur Isabelle Perrier et ses neveux.

Charles VI

Dit Charles le Bien-Aimé, puis Charles le Fol, Charles VI est né à Paris, le 3 décembre 1368, et mort à Paris, le 21 octobre 1422. Fils de Charles V et de Jeanne de Bourbon, il fut roi de France de 1380 à sa mort. Il fut le père de douze enfants, dont Isabelle de Valois (épouse de Richard II et reine d'Angleterre), Catherine de Valois (épouse de Henri V et reine d'Angleterre) et Charles VII (futur roi de France). Sa fin de règne fut désastreuse. Sur les conseils de la reine Isabeau, par le traité de Troyes, il écarta du trône son fils, le futur Charles VII, au profit de Henri V d'Angleterre. Dès lors, on pensait bien qu'il n'y aurait plus de roi français dans le royaume de France. Charles VI finit ses jours seul, abandonné de tous, sauf de sa maîtresse Odette de Champdivers, dont il aura une fille, Marguerite de Valois.

Autres personnages ayant réellement existé

Ansel Chardon : libraire tenant échoppe dans la rue des Escrivains.

Aymard de Poitiers : ami du roi.

Guillaume Cassinel : sergent d'armes du Châtelet.

Hugonin de Guisay : écuyer d'honneur du roi.

Isabelle, Jehan, Oudin, Collin et Guillaume Perrier : respectivement sœur, beau-frère et neveux de Pernelle Flamel.

Jean de Folleville : prévôt de Paris.

Jean de Berry : oncle paternel du roi.

Jeanne II : duchesse de Berry, jeune tante du roi.

Le Grand Coësre : roi de la Cour des Miracles ; et ses adjoints : le duc d'Égypte et l'Archisupôt.

Louis Ier d'Orléans : frère du roi.

Louis Ier, duc d'Anjou : oncle paternel du roi.

Louis II, duc de Bourbon : oncle maternel du roi.

Maître Anseaulme : médecin et ami de Flamel.

Maître Canchès : savant juif espagnol, ami de Flamel.

Margot la Quesnel et sa fille Colette : servantes de Nicolas Flamel.

Milon de Joigny : ami du roi.

Ogier de Nantouillet : premier écuyer de corps du roi.

Philippe II le Hardi, duc de Bourgogne : oncle paternel du roi.

Pierre d'Orgemont : évêque de Paris.

Pierre II d'Aumont, dit le Hutin, sire de Cramoisy : maître des requêtes et chambellan de Charles VI.

Regnault d'Angennes : capitaine du Louvre.

Renaud de Fontaines : chanoine de Notre-Dame.

Robert de Thuillières : examinateur au Châtelet et lieutenant criminel du prévôt de Paris.

Yvain, dit le bâtard de Foix : ami du roi.

LEXIQUE

Argot : corporation des gueux au Moyen Âge.

Avers : face principale d'une monnaie ou d'une médaille, opposée au revers.

Bagout : tendance à parler beaucoup pour convaincre autrui.

Bis : pain de couleur gris-brun à cause du son qu'il contient.

Bissac : grand sac, ouvert par le milieu, dont les deux extrémités forment deux poches.

Bliaut : longue tunique portée par les hommes et les femmes du Moyen Âge.

Calame : roseau taillé utilisé pour écrire.

Carme : religieux de l'ordre de Notre-Dame du Mont-Carmel.

Charivari : fête où les participants font énormément de bruits, poussent des cris, des huées, etc.

Chiffre : lettres initiales entrelacées.

Citole : instrument de musique à cordes pincées ressemblant au luth.

Cochonnailles : charcuterie campagnarde (jambon, museau, andouille, pieds de porc, etc.).

Conque : coquille d'un mollusque bivalve de grande taille ; la coquille Saint-Jacques sera nommée ainsi par le biologiste suédois Carl Von Linné au xviiie siècle.

Coquillard : bandit se faisant passer pour un pèlerin de Saint-Jacques-de-Compostelle.

Dame-jeanne : bonbonne de verre.

Déchaux : qui va les pieds nus dans ses sandales.

Échaudé : gâteau léger, dont la pâte est plongée dans l'eau bouillante puis cuite au four.

Écoles : au xive siècle, les Écoles regroupaient environ trente-cinq collèges, dont la Sorbonne, qui formaient l'Université de Paris.

Grand Œuvre : fabrication, par les alchimistes, de l'élixir de longue vie à partir de la Pierre Philosophale.

Gulden : monnaie hollandaise.

Hérault : officier chargé de transmettre les déclarations solennelles.

Huis : porte d'une maison.

Infidèles : nom donné aux musulmans au Moyen Âge.

Lèse-majesté : qui porte atteinte à la majesté du monarque, à son pouvoir ou à sa personne.

Livre d'heures : livre de prières pour chaque heure du jour.

Livrée : vêtement aux couleurs d'un seigneur ou du roi.

Matras : vase de verre à long col employé en chimie, en pharmacie et en alchimie.

Mercandier : faux marchand.

Noix de galle : excroissance apparaissant sur un chêne, provoquée par la piqûre d'un insecte lorsque ce dernier dépose ses œufs dans le végétal.

Oublie : petite gaufre en forme de cornet.

Pierre Philosophale : aussi appelée pierre des sages ; il s'agirait d'un élément alchimique permettant de transformer en or des matériaux vils, comme le plomb, mais aussi de créer l'élixir de longue vie.

Penne : grande plume des ailes et de la queue des oiseaux utilisée pour écrire.

Petit-gris : écureuil gris.

Petit Magistère : fabrication d'or alchimique.

Quadrilobe : qui a quatre lobes (découpures en arc de cercle utilisées comme ornement).

Rouelle : pièce de tissu ronde et jaune cousue sur le vêtement des Juifs ; le jaune est une couleur méprisable à l'époque, car elle symbolise les pièces d'or que Judas a acceptées en paiement de sa trahison envers Jésus.

Soudard : soldat mercenaire, homme de guerre brutal et grossier.

Torque : collier rigide des Celtes et des Gaulois.

Trébuchet : petite balance servant à peser l'or, l'argent et les pierreries.

Vélin : peau de veau mort-né, plus fine que le parchemin.

Vif argent : mercure.

Vitriol : substance issue du sulfate de fer (vitriol vert) ou du sulfate de cuivre (vitriol bleu).

À la Cour des Miracles

Archisupôt : prêtre défroqué ou écolier chassé d'un collège ou voleur émérite.

Callot : teigneux.

Courtaud de boutanche : faux ouvrier se disant sans travail.

Drille et narquois : soldats déserteurs faussement estropiés.
Franc-mitou : faux malade et faux éclopé.
Gens de petite flambe : soldats coupe-bourses.
Hubain : faux enragé.
Malingreux : portant de fausses plaies.
Marjaud : fille de joie ou compagne d'un gueux.
Matois : rusé.
Millard : voleur de nourriture.
Orphelin : enfant presque nu et tremblant de froid.
Piètre : faux estropié.
Riffaudé : faux incendié.
Sabouleux : faux épileptique.

Pour écrire à l'auteure :
    detectivephoenix@yahoo.ca

Cet ouvrage a été composé en Minion 12,5/14,3
et achevé d'imprimer en avril 2007 sur les presses de Quebecor World
Saint-Romuald, Canada.

Imprimé sur du papier Quebecor Enviro 100 % postconsommation,
traité sans chlore, accrédité Éco-Logo et fait à partir de biogaz.

certifié

procédé
sans
chlore

100 % post-
consommation

archives
permanentes

énergie
biogaz